Детективные романы
Татьяны Гармаш-Роффе:

_____

Татьяна
Гармаш-
Золотые нити судьбы
Роффе

ЭКСМО

Москва

2011

УДК 82-3
ББК 84(2Рос-Рус)6-4
   Г 20

Оформление серии *С. Груздева*

Серия основана в 2007 году

Сюжет романа разработан с участием
Ильи и Вероники Гармаш

Постоянный консультант автора:
Г. С. Соболь, частный детектив

Гармаш-Роффе Т. В.
Г 20   Золотые нити судьбы : роман / Татьяна Гармаш-
Роффе. — М. : Эксмо, 2011. — 320 с. — (Детектив
высшего качества).

   ISBN 978-5-699-49459-0

Ксюша и Реми, проводя отпуск в окрестностях Ниццы, решили полюбоваться на местный феномен: Царицу озера. Световой эффект и в самом деле произвел сильное впечатление, но еще больше их впечатлил труп девушки, чьи светлые волосы запутались в необычных белых водорослях озера. Она упала со скалы? Или ее кто-то столкнул?

Берясь за расследование этого происшествия, Реми совсем не представлял, как далеко оно их с Ксюшей заведет. Утопленница оказалась русской, и приехала она в горы повидать свою двоюродную сестру Лизу, которая отдыхала на вилле у друзей...

Увы, Лиза отнюдь не отдыхала! В горах, тяжело раненная, она боролась за свою жизнь. И в эту борьбу за жизнь Лизы предстоит вступить частному детективу Реми Деллье и его жене Ксении.

УДК 82-3
ББК 84(2Рос-Рус)6-4

ISBN 978-5-699-49459-0

ЧАСТЬ I

...Пыль забивалась в ноздри вместе с душным, тягучим запахом баранины.

Девушка чихнула, и тут же раскаленный скальпель боли взрезал ее мозг. Она сжала виски руками... И очнулась.

Сумрак, прохлада. Узкое оконце, из него струится свет. Она лежит на полу, на старой бараньей шкуре, от которой исходит этот тошнотворный запах, пальцы чувствуют грязный и пыльный мех. Небольшая комната, стены без штукатурки, камень и цемент. Деревянная дверь приоткрыта, в нее видны далекие холмы. Выходит, это не комната в доме, а весь дом и есть. Маленький домик, избушка, сторожка...

Слышно, как щебечут птицы невдалеке. И еще стук лопаты, звонко терзающей каменистую почву.

Она с трудом села. Что это за домик? Что она тут делает? Как она здесь оказалась?

Некоторое время девушка смотрела на щель в двери, словно надеясь, что та даст подсказку... Но подсказки не было. На ум ничего не приходило, будто черепную коробку вытряхнули, а в пустоту закачали огненную боль.

Ее охватила паника. «Неужели я состарилась и у меня проблемы с памятью? — с ужасом подумала она. — Но если я уже старая, то когда же я жила и куда делась моя жизнь?»

Она вытянула руки перед собой. Они немного дрожали. Действительно состарилась?..

Ей стало не по себе. Прожить жизнь, возможно, долгую, — и забыть, что жила?!

Растопырив пальцы, она заставила их не дрожать. И вдруг осознала: кожа на руках молодая, без морщин!

Значит, не в возрасте дело! У нее, видимо, что-то с головой — вот почему она ничего не может вспомнить!.. Но там, недалеко от домика, есть кто-то, какой-то человек, который копает землю! Надо его спросить, что с ней случилось!

Она с трудом поднялась и тут же потеряла равновесие. Ухватилась за край небольшого обшарпанного стола, сделала несколько шатких шагов к двери, открыла ее. Домишко стоял на склоне горы, полого уходившей вниз. Слева высилась отвесная скала, поросшая редкими кривыми деревцами. Судя по положению солнца, над землей занимался рассвет. Вокруг, насколько хватало глаз, высились холмы — одни повыше, другие пониже, а вдали, в неясной дымке, светлели вершины гор. Воздух трепетал, подрагивал, скрадывая перспективу, отчего возникало ощущение, будто перед ней огромный экран с картинкой, а вовсе не настоящий пейзаж. Наверное, она поэтому не любила горы. Они заслоняют горизонт, и планета кажется крошечной. И человек в них чувствует себя крошечным... Маленькое живое существо в плену у неживых каменных громад.

Стук лопаты доносился слева, между стеной домика и скалой.

Она, оторвавшись от дверной притолоки,

двинулась влево. И точно, она не ослышалась: какой-то мужчина в клетчатой рубашке копал яму метрах в пяти от домика. На звук ее шагов он обернулся. У него оказалась неопрятная черная борода с проседью; блеклые, словно застиранная майка, глаза настороженно блеснули из-под нависших век.

— Ты жива? — удивился он.

Она хотела ответить, как вдруг почувствовала сильную тошноту. Справиться с ней не было никаких сил, и ее вырвало тут же, у домика.

— Мерд! Обгадила мне всю стенку! — в сердцах выругался мужчина, обнажив редкие подгнившие зубы.

— Дайте воды... сильвуплэ... — произнесла она и тут поняла, что говорит с ним по-французски... по той причине, что он говорил с ней по-французски же!

«Я во Франции... Ну да, конечно! Я приехала сюда... к... к друзьям...»

Вспомнить, к каким таким друзьям, она не смогла.

— Пардон... Я очень сожалею... Мне плохо... Мне нужно попить воды... У вас есть вода?

— Так ты жива, получается!.. — с досадой повторил мужичок. Затем достал из кармана старых грязных джинсов, висевших мешком на его худосочном заду, мобильный и принялся набирать номер. — Ты в дом иди, — оторвался он от телефона, — там несколько бутылок на полу. Иди, иди! — Он замахал в ее сторону рукой, словно хотел подтолкнуть к дому.

Вода! Она повернулась и стала проделывать обратный путь — всего несколько шагов, но таких трудных... Боль плескалась в черепной коробке, словно там кто-то кипятил котелок на костре.

«Что такое? — услышала она, как заговорил мужичок в трубку. — Мы так не договаривались, чтоб живую закапывать!»

Ей показалось, что это смешная шутка. Вернее, шутка плоская и совсем не в ее вкусе, но мужичку она должна казаться смешной — иначе зачем бы он так острил?

Доковыляв до бутылки, она принялась жадно пить и оторвалась только тогда, когда мужичок появился на пороге.

— Вот что, — произнес он деловито, поставив лопату у двери, — живой я закапывать тебя не стану. Я же не садист какой-нибудь! Так что давай я тебя сначала убью!

Она не поверила своим ушам. Сказанное мужичком было столь нелепо и столь дико, что ее разум отказывался принять его слова всерьез. Это просто очень глупая и непонятная шутка...

Та часть мозга, которая еще функционировала, несмотря на оглушающую боль, вдруг строго и сухо проинформировала: шуток тут никто не шутит. Этот мужик хочет ее убить... перед тем как закопать! И яма уже почти готова... Яма, могила — для нее!

Мужик обвел глазами комнатку — размышлял, чем бы ее убить. Она вдруг очень ясно поняла: сейчас идут последние минуты ее жизни. Последние, если она не придумает никакого выхода!

Но мозг не работал. Ничего не подсказывал.

— Не надо меня убивать, — произнесла она жалобно, — пожалуйста, не надо!..

Казалось, он удивился.

— Так мне же деньги заплачены!

— Послушайте...

Она лихорадочно искала какой-нибудь выход из ситуации... И не находила. Бежать? Ноги ее подкашиваются и десяти метров не пронесут! Сопротивляться? Будь она в добром здравии, может, и справилась бы с ним — мужичок мелкий, хотя, пожалуй, крепкий... Но в ее состоянии нечего и мечтать!

— Деньги? — произнесла она с напором. — А у меня жизнь, единственная! Разве можно жизнь измерять деньгами?

Мужичок озадачился.

— Так это... заплачено ведь! Я и сам не рад, знаешь, — они говорили, что труп привезут... Но оно вон как повернулось. Теперь уж чего, теперь надо до конца доводить... Ты прилегла бы, все равно ноги тебя не держат, так уж ложись, что ли... Меньше суеты будет. Ты так и так не жилец, у тебя в голове дырка, все равно помрешь.

Услышав про «дырку», она принялась ощупывать свою голову... Вот она, «дырка»! Прямо на затылке. Кровоточит. Выходит, ее кто-то ударил по голове... С расчетом ее убить? И этому дядьке ее скинули, полагая, что она мертва? А ему велели ее закопать и посулили за это деньги?

Похоже на то... Но кто? Почему? За что?!

Ложиться нельзя. Мужичок ее тогда и голыми руками задушит. Или вонючей бараньей шкурой. Или застрелит, если у него есть оружие.

— Не хочу! — заявила она.

Мужичок заметно огорчился, даже растерялся, но через мгновение скосил глаза в сторону небольшого глухого шкафа у левой стенки. Она поняла: там у него что-то есть! — то ли моток

10 веревки, то ли карабин, то ли нож... В любом случае там ее смерть! Его нельзя подпустить к шкафу!

Меж ними находился небольшой круглый стол, а старый шкаф с двумя узкими дверцами — за ее спиной. Она сделала шаг мужичку навстречу, по левую сторону стола, словно намеревалась перекрыть ему путь. Хотя он мог бы ее легко столкнуть с дороги. В ее состоянии и дуновения ветра достаточно!

Мужичок приостановился, но ненадолго. Видимо, тоже сообразил насчет «дуновения ветра». И уверенно пошел на нее.

Тогда она отступила, огибая стол справа. Еще шаг, еще шажок... Она двигалась в сторону двери, — где, она заметила, осталась прислоненная им лопата. Он, огибая стол слева, двигался к шкафу, косясь на нее. Он уже протянул руку к дверце шкафа, но, увидев, что девушка приближается к двери, передумал и бросился за ней вокруг стола.

Достигнув порога, она повернулась, прижавшись спиной к дверному косяку, схватила лопату с острым концом и выставила ее перед собой, крепко держа черенок двумя руками.

Он почему-то не понял...

Он буквально налетел на лопату.

Сам.

Черенок резко ударил ее в грудь, а острие... Острие вошло в его горло. Он удивленно вскинул глаза, а затем, схватившись обеими руками за лопату, осел на глиняный пол, хрипя.

Кровь била из его шеи. Он прикрыл веки, словно обрел долгожданный отдых, и откинулся назад.

Ее опять затошнило — от вида крови на этот раз. Выпустив черенок лопаты, она схватила бутылку и пила долго, долго... Потом присела на выщербленный табурет — стоять не было сил. «Надо его похоронить», — подумала она, но осталась сидеть, положив руки на стол.

Обморок с ней случился или просто сон ею овладел, но солнце стояло уже высоко, когда она открыла глаза. Все было по-прежнему, ей это не приснилось: труп с лопатой в горле, кровь... И несколько мух, с алчным жужжанием круживших над мертвецом.

Она поднялась, стараясь не смотреть в его сторону. Качнулась, как пьяная. Голова по-прежнему кипела от боли. Стащив с себя майку, она ее намочила, обтерла горящий лоб, шею, грудь... Собравшись надеть ее обратно, она вдруг увидела на ней брызги крови. Понятно, откуда они взялись...

Подлив еще немного воды, она принялась растирать пятна. Они не исчезли, но размазались, смешавшись с пылью и грязью, в избытке покрывавшими ее майку... Лучше грязь, чем кровь.

Неожиданно дал себя знать голод. Она сочла, что это добрый знак: раз организм требует еды — значит, собирается жить! В шкафу она нашла упаковку сухих галет и съела их все, запивая водой. Там стояла и початая бутыль дешевого вина, но она не решилась налить себе: хоть и слабый, но все же алкоголь, а она и без него как пьяная...

Еда, какой ни была скудной, ее немного подкрепила. Зажав под мышкой бутылку с остатками воды, она выбралась из домика. Осмотрелась.

12 Куда идти, она не знала, но направлений было всего два: вверх по горе и вниз по ней же.

Она выбрала путь полегче: вниз. Куда он выведет, бог весть, — но выведет же куда-нибудь...

...Продержалась она недолго. Свалилась под каким-то кустом, теряя сознание. Перед тем как провалиться в обморок-сон, успела подумать: ее могут съесть хищники...

Она не знала, что хищники в этих местах не водятся.

Солнце стояло низко, когда она очнулась. Сон ее немного освежил, голова соображала чуть лучше, ноги чувствовали себя чуть крепче, руки почти не дрожали. Она по-прежнему не помнила ничего из того, что случилось с ней до пробуждения в домике, зато последние события помнила очень четко. Лопата, вошедшая в горло чернобородого мужичка, его удивленное выражение лица, неожиданно прояснившийся взгляд...

Снова накатила тошнота.

«Но ведь он намеревался меня убить! И закопать в яме!!! — возразила она самой себе, прогоняя чувство вины. — Я не сделала ничего дурного... Вернее, я сделала дурное, но... я просто защищала свою жизнь! Я имею право на это, ведь правда же?!»

Она брела по склону вниз до тех пор, пока не завидела внизу поселок и дорогу, вьющуюся меж домов.

«Спасена!» — подумала она и опустилась без сил на камень. Слезы хлынули из ее глаз — кажется, от радости...

— Как ты думаешь, мы действительно увидим Царицу озера? Или путеводители приукрашивают?

— Приедем и посмотрим, — пожал плечами Реми. — Мы уже близко, так что потерпи.

— А мы не опоздаем? — беспокоилась Ксюша.

— В путеводителе написано, что на второй неделе июля этот феномен можно увидеть в пять сорок — пять пятьдесят утра. Сейчас пять десять, у нас еще полчаса. Мы будем на месте через несколько минут, хватит еще времени, чтобы выпить чашку кофе, взять напрокат морской велосипед и добраться до середины озера.

Ксюша довольно улыбнулась. Ее муж был всегда очень точен в расчетах времени, расстояния и вообще все знал наперед. Здорово жить с человеком, на которого можно во всем положиться!

Она обвила рукой его крепкие плечи. Он потерся ухом об ее кисть. За поворотом, между двумя холмами, блеснула вода. День начинался прекрасно.

Как гласила легенда, когда-то на вершине самой высокой горы из тех, что окружали озеро, высился замок (его развалины сохранились до сих пор), в нем жил князь со своей молодой и прекрасной женой. Князь часто отправлялся в военные походы, и княгиня без него тосковала, проводя дни в затворничестве. Шли годы, красота ее блекла, слезы иссушили глаза... И однажды князь вернулся из похода не один: он привез с собой юную девушку необыкновенной красоты.

14 Волосы у нее были золотые, а длины такой, что покрывали ее восхитительное тело до самых пят.

Княгиня, понятное дело, не желала терпеть соперницу в доме. Думала она, думала, как златовласую красавицу извести, и придумала: приготовила ей напиток из ядовитых трав, росших на склоне горы. Да только напиток выпила по случайности служанка и умерла в мучениях. Князь, раскусив злой умысел супруги, разгневался и велел утопить княгиню в озере, лежавшем в чаше гор.

Но мятежный дух княгини не думал успокаиваться и после смерти. Она вставала из озера на рассвете, словно вылитая из сверкающего золота: ей хотелось походить на соперницу.

«Ишь, уже тогда блондинки вызывали зависть! — усмехнулась Ксюша. — Даже призрак решил перекраситься!»

...Ее грозный силуэт возникал над озером, пока лучи восходящего солнца протискивались в прорезь между скалами, — казалось, что светило зажато в черные клещи, — а затем снова исчезал в глубине вод. Но в любое время и при любом освещении можно было видеть ее золотые волосы, клубившиеся на поверхности воды в центре озера. И не дай бог какой-нибудь красивой девушке, да к тому же блондинке, заплыть на середину! Ревнивая Царица немедленно утаскивала ее на дно, опутывая своими волосами, как сетью!

Так гласила легенда. И Ксюше очень хотелось увидеть, как встает из вод Царица — этот феномен, обязанный своей природой уникальной игре света, если верить путеводителю. Ксюша вообще страстно увлекалась всем таинственным, необычным и загадочным. Правда, из-за этой своей страсти она однажды чуть не погибла в глухих подземельях замка Барбен[1]... После чего поклялась мужу не пускаться в одиночку ни в какие приключения.

Приключения, однако, с тех пор и не думали подворачиваться — ни для соло, ни для дуэта, — и Ксюша немного приуныла. Выйдя замуж за Реми по большой любви и переехав жить к нему в Париж, она долго искала применения своим талантам и энергии, пока не нашла замечательный способ удовлетворить свою тягу к загадочному: она принялась сочинять детективный роман! Тем более что Реми являлся частным детективом, и материала у нее было предостаточно... Дело было за малым: написать. И она уже почти год проводила свободные часы за компьютером, правя и стирая написанное, — ей хотелось, чтобы роман получился безупречно красивым и безупречно логичным, при этом необыкновенно увлекательным! Таким, чтобы ни один читатель не смог выпустить его из рук, пока не дочитает до конца!

И сейчас Ксюша предвкушала изумительное зрелище, которое — как знать — может подкинуть ей новый оригинальный сюжет для будущего романа.

Несмотря на то что рассвет все ярче разгорался в чистом небе, возле озера оказалось сумрачно: оно находилось на дне чаши, образованной горами, местами высокими. На пляже собралось человек тридцать: легенда о Царице озера исправно

---

[1] См. роман Т. Гармаш-Роффе «Вечная молодость с аукциона», издательство «Эксмо».

привлекала любопытствующих, несмотря на ранний час. Даже один из ресторанов уже работал, предлагая туристам завтраки, напитки и кофе.

Реми поставил машину на стоянку, и они присоединились к толпе.

— ...и там увидите буйки. Они огораживают место, где следует встать, иначе вы не сможете увидеть этот феномен, — пояснял туристам местный гид. — Он длится около трех минут и вызван преломлением света, проходящего через щель вон в той скале, — указал он рукой на противоположную сторону озера, — а также испарениями воды на рассвете. Поэтому очень важно смотреть на него под правильным углом...

Оказалось, все морские велосипеды уже разобрали. Ксюше с Реми досталась лодка. Оставалось еще четырнадцать минут, и Реми уговаривал жену выпить кофе. До буйка плыть примерно семь минут — озеро небольшое, с километр в диаметре... — хоть лодка и не самое скоростное транспортное средство... Но она боялась опоздать.

Реми не стал настаивать. Кофе они могут выпить и потом.

Они направились на небольшой причал, у которого были пришвартованы лодки и морские велосипеды. Некоторые уже отплывали. Туристам помогали двое мужчин: усаживали людей, придерживали плавсредства, затем отталкивали от причала.

— Ой!

Лодка качнулась под ногами Ксюши. Она неловко опустилась на скамеечку. Реми сел за весла. Пара мощных гребков, и лодка вырулила на водный простор. Темная вода недовольно морщилась под килем, свежий ветерок, неизвестно откуда взявшийся, быстро забрался под одежду. Ксюша раскрыла свою сумку, покопалась в ней, вытащила из нее тонкую шаль из шелка с кашемиром — сложенная в несколько раз, она почти не занимала места в сумке — и закуталась в нее.

— Садись за весла, — предложил Реми. — Согреешься.

Но Ксюша не захотела: пришлось бы перебираться на скамейку Реми, а лодка так опасно качается под ногами...

Они с трудом встроились в ряды жаждущих зрелища туристов. Буйки отмечали место, с которого следовало наблюдать за феноменом, — оно располагалось правее от центра озера. Наверное, слева эффект не тот. Поэтому все лодки и велосипеды сбились в ограниченном пространстве, едва ли не касаясь друг друга бортами.

Все посматривали на часы, и чем ближе подходили стрелки к назначенному времени, тем тише становились разговоры... Пока не прекратились полностью.

И вот наконец первый луч прорезал щель между скалами, — будто сверкающее копье вонзилось в воду. Она вдруг засияла золотом, и над ней заклубился сгусток светлого тумана... Он все рос, словно и в самом деле какая-то фигура поднималась из воды, выпрямляясь. С каждой секундой золотой столб увеличивался, возносясь над головами людей, постепенно принимая очертания женской фигуры в длинном платье, подол которого уходил в воду!

Среди зрителей пронесся вздох, зашелестели восклицания. Одни смотрели на это чудо, остолбенев, — у них, наверное, как и у Ксюши, мурашки побежали по коже: огромная женская фигура, нависшая над людьми, подавляла и пугала. Иные, предприимчивые, принялись щелкать фотоаппаратами, кто-то вскинул видеокамеру... Ксюша расстроилась: они не подумали взять с собой ни то, ни другое! Она, боясь пропустить хоть мгновение из необычайного зрелища, принялась на ощупь искать мобильный в сумке... Нашла! Качество будет, конечно, похуже, чем на настоящей камере, — но хоть что-то!

Она сняла силуэт Царицы, сотканный из пара и солнечных лучей, затем лицо мужа, завороженно разглядывавшего призрак, — и вовремя! Так как силуэт начал таять, уменьшаться, словно ниспадать обратно в лоно вод, — и вскоре ничто не напоминало о явлении Царицы. Только светлое пятно в центре озера обозначало ее чертоги...

Народ зашевелился, приходя в себя после пережитого потрясения, лодки и велосипеды стали разъезжаться кто куда: одни к берегу, другие решили покататься по озеру, несмотря на свежий ветерок.

— Поедем на «волосы Царицы» посмотрим! — предложила Ксюша.

Реми не возражал. Он плавно греб к центру озера. Когда весла стали застревать в водорослях, он их приподнял.

— Ремиша, ты только посмотри, посмотри! — воскликнула Ксюша, перегнувшись через борт. — Ну, точно как волосы!

В самом деле, водоросли редкостного белого цвета шевелились и волновались в воде озера, прямо на поверхности. Ксюша наклонилась, опустила руку в воду и вытащила из нее стебелек растения, похожий на локон.

— Потрясающе... — восхищенно проговорила она, разглядывая «локон».

Реми согласился, что это вполне «потрясающе». Ксюша отыскала в недрах своей сумки еще одну нужную вещь — на этот раз целлофановый пакет — и опустила в него локон, добавив озерной воды.

— Как ты думаешь, он выживет, если я его в наш аквариум опущу?

— Кто его знает... Ну что, поплыли пить кофе?

— Давай еще чуть-чуть тут погуляем!

— А ты не замерзнешь?

— Нет. Шаль теплая! А ты?

— А у меня весла с подогревом, — улыбнулся он.

Они поплыли по окружности озера. Ксюше было интересно все: она вглядывалась в окрестности гор, с восторгом замечая то стадо овец, пасущихся на склоне одной, то белые домики, угнездившиеся на склоне другой. Одна из гор, окружавших озеро, являлась на самом деле высокой отвесной скалой — именно через расщелину в ней проходил луч, создававший эффект Царицы. Здесь, в тени скалы, было сумрачнее и прохладнее. И тут тоже оказались белые водоросли.

— Невероятно!.. — продолжала восхищаться Ксюша. — Я теперь понимаю, почему возникла такая легенда! Стоит только посмотреть на них, как фантазия начинает работать! Они и впрямь как волосы! Длинные светлые женские волосы!

Она перегнулась через борт и принялась шевелить водоросли, пропуская их между пальцами, как пряди. Реми, не обладая восторженностью своей жены, согласно кивал, — так кивают играющему ребенку: пусть дитя тешится.

— Гзенья... — вдруг заговорил он.

Несмотря на все усилия Ксении приучить мужа произносить ее имя на русский (или, если угодно, древнегреческий) лад — он произносил его на французский, где сочетание «кс» приобретало звонкость и превращалось в «гз».

Реми, правда, тут же исправился:

— Ксенья... Подожди... не мути воду...

Реми замер, вглядываясь в сумрачную поверхность озера.

— Посмотри-ка сюда... — произнес он странным голосом.

Ксюша снова перегнулась через бортик.

— Смотрю... А что я должна увидеть?

— Эти водоросли... они НЕ КАК волосы...

— Не понимаю... Что ты хочешь...

Она запнулась в тревожном предчувствии. Реми вдруг сбросил с ног кроссовки, поднялся и... спрыгнул в воду!

— Реми! Ты чего... ты зачем?!

Он не ответил, разгребая руками белые завитки. Казалось, он что-то нащупал... Ксения не понимала что. Реми поднырнул и через несколько секунд появился снова над поверхностью воды, выпростав из нее руку.

На его ладонь были намотаны водоросли...

Нет... О, нет! мамочка родная, не может такого быть!..

На его ладонь были намотаны *волосы*.

Ухватившись за борт лодки, Реми все поднимал руку, поднимал выше и выше, — пока наконец из воды не показалось...

Лицо.

Ксюша охнула и рухнула на скамейку. Лодка резко качнулась.

— Помоги мне... — пропыхтел Реми.

Но Ксюша не двинулась с места.

— Реми... — прошептала она ставшими вдруг непослушными губами, — Реми, она на меня смотрит... Она живая!

— Сомневаюсь.

— У нее глаза открыты! Она на меня смотрит!

Реми повернул голову лицом к себе.

— Да нет же, Ксю! Ты никогда не слышала, что люди обычно умирают с открытыми глазами? Мертвецам глаза закрывают живые... Ты же детективы решила писать, а таких простых вещей не знаешь?

— Ты сумасшедший! — выкрикнула Ксюша почти в истерике. — То — *писать*! То есть *сочинять*! А не вылавливать в самом деле трупы из воды!!!

— А что делать... — житейски откликнулся ее муж, — коли тут труп...

Частный детектив Реми имел дело с реальностью — в отличие от его жены Ксюши, которая, сочиняя свой первый в жизни детективный роман, имела дело исключительно с вымыслом.

— Так ты поможешь мне наконец? — сердито проговорил он.

— Ты же не собираешься ее... это тело... положить у моих ног?!

— А куда еще? — не понял Реми.

— Не знаю! — закричала в ужасе Ксюша. — Но не ко мне!!!

Реми подумал.

— Хорошо, тогда плыви на берег, зови людей мне на помощь. С веслами справишься?

— Справлюсь! — заверила его Ксюша, у которой зуб на зуб не попадал от страха.

— Скажи тем парням на берегу, пусть ко мне лодку направят!

— А ты? Ты что, тут останешься?!

— Я боюсь упустить труп... Он может снова уйти на глубину.

— Но вода же холодная! Ты замерзнешь!

— Ксенья, — рассердился Реми, — если ты хочешь, чтобы я не замерз, то двигай поскорее на берег и отправь ко мне лодку!

...Хорошо, что основная масса туристов уже схлынула. Посему выгрузка тела из лодки, которая прибыла к Реми на помощь, прошла при относительно небольшом скоплении народа.

— La fille est très belle... — произнес кто-то из толпы.

— Elle *était* très belle, — поправил его другой голос. — Elle n'est plus belle, elle n'est plus rien. Un cadavre, voilà, c'est tout...

— Quel gâchis[1]...

Понедельник, продолжение

Спуск к городку, который показался ей столь близким, занял еще немало времени. Она шла медленно, пытаясь унять шум в голове, удержаться на ногах.

Наконец она достигла невысокой ограды, шедшей вдоль асфальтированного тротуара, с

---

[1] — Девушка очень красивая... — Она *была* красивая. Теперь она не красивая, она больше ничто. Труп, вот и все. — Какая жалость...

трудом перенесла через него ногу, вторую — и побрела. Увидев указатель «Centre ville»[1], она повернула и вскоре очутилась на небольшой площади. В центре — фонтан, по одну сторону — церковь, по другую — кафе. Столики под зонтиками, стулья...

Ноги ее сами понесли к кафе: организм отчаянно требовал отдыха. Перед глазами все плыло. Еще немного, и она рухнет прямо тут, на булыжное покрытие площади...

Наконец она опустилась на свободный стул.

— Бонжур, мадемуазель, что вам угодно?

Перед ней нарисовался официант в черных брюках и белой рубашке. Он смотрел на нее как-то странно. Должно быть, видок у нее еще тот...

— Стакан воды, пожалуйста, — выдавила она из себя, вовремя сообразив, что при ней нет ни денег, ни сумки. Но воду в кафе бесплатно дают[2] и отказать не имеют права.

Официант принес ей воды, но почему-то не уходил, наблюдая, как она пьет.

— Мадемуазель... Вам плохо? Я могу вам помочь?

— Если у вас найдется таблетка от головной боли...

— С вами что-то случилось? У вас такой вид, что... Простите, я лезу не в свое дело, конечно. Но у вас на затылке кровь... На вас кто-то напал? Может, вам нужна помощь полиции?

Она покачала головой. Помощь полиции ей

---

[1] Центр города.
[2] Вода из-под крана, во Франции она питьевая.

совсем ни к чему. Она убила человека... Но рассказывать об этом *полиции*? Нет, исключено.

— Я упала, ударилась, ничего страшного... Таблетка от головной боли, и все будет в порядке.

Молодой человек колебался. Что-то нехорошее с девушкой произошло, это ясно. По большому счету, ему следовало не спрашивать у нее, а вызвать полицию самому. Но его клиентка была такой хорошенькой и такой беззащитной, что он решил не вмешиваться.

— Хорошо, мадемуазель, я попробую найти для вас таблетку. Вы уверены, что вам не поможет чашка кофе?

— У меня... Я потеряла сумку... А в ней кошелек...

— Посидите здесь, я сейчас!

Через пару минут она увидела молодого человека: он пересек улицу и зашел в «Фармаси», аптеку то есть. Еще через пять минут он принес ей новый стакан воды, таблетку аспирина, чашку кофе и круассан.

— За счет заведения, — улыбнулся он, пресекая ее протестующий жест.

Поблагодарив официанта, она проглотила таблетку, затем всыпала в кофе сахар, размешала и принялась пить маленькими глотками горячий душистый напиток, надкусывая круассан.

Что на нее так плохо подействовало, она не знала: может, аспирин на голодный желудок, или его сочетание с кофе, или просто ее состояние ухудшалось, — но ее снова затошнило, перед глазами закружилась карусель.

Она с трудом поднялась и направилась внутрь кафе.

— Туалет здесь, — показал ей парень, угадав, что ей нужно.

Ее вырвало. Тогда она еще не представляла, что это ее спасло: аспирин при ее травме категорически противопоказан! Но она не знала, что у нее за травма и что ей можно и что нельзя; не знал этого, разумеется, и парень, жаждущий помочь из самых добрых побуждений.

Она долго пила воду из-под крана, — счастье, что во Франции она чистая, питьевая! — и ополаскивала лицо, затем опустилась на корточки у стенки, прижавшись к ней спиной. «У меня рана на голове, меня ударили... И у меня сотрясение мозга, видимо. От этого все и происходит...» — думала она, пытаясь унять нервную дрожь в теле и тошнотворное головокружение.

Она снова подошла к рукомойнику и, набрав в горсть немного воды, попробовала отмыть волосы на затылке от крови: незачем пугать прохожих. Затем, глядя в зеркало, провела пятерней по растрепанным волосам, кое-как их пригладив, оттерла пару грязных пятен со щек. Одежда ее тоже была грязная, да тут уж ничего не поделать.

Вышла она из туалета минут через двадцать и, стараясь придать шагу твердость, пересекла зал.

— Мадемуазель, погодите!

Ее догнал все тот же парень, официант.

— У нас тут есть небольшой медицинский центр... Давайте я вас отвезу!

— Где он?

— Недалеко, по этой улице прямо, там площадь с магазином, а рядом медицинский центр...

— Раз недалеко, то я дойду... Спасибо.

Ей было неловко, что о ней так заботится незнакомый человек. И она продолжила свой путь, спиной ощущая его вопрошающий взгляд. Да уж, небось не каждый день к нему в кафе являются девушки с разбитыми затылками!

Она брела, иногда держась за стены домов, в указанном направлении и думала о том, что денег у нее нет... И что она будет делать в медицинском центре без денег? Ведь врачу надо платить!

Но ей было слишком плохо, чтобы думать о деньгах. Ей нужен врач, а там уж...

Страшно хотелось лечь. Куда-нибудь, лишь бы лечь! Она качнулась и вновь ухватилась за стену какого-то дома. Постояла чуть-чуть и, справившись со слабостью, двинулась дальше. Где же этот центр, черт его дери, ведь официант сказал, что недалеко! Наверное, это на машине недалеко... Поэтому он и предложил ее подвезти... Зря она отказалась.

Она продолжала свой трудный путь, и ей становилось все хуже. Ноги слабели и подкашивались.

Надпись «Centre medical» она увидела в тот момент, когда ее глаза уже стали опасно заплывать под верхние веки. Собрав последние силы, она вошла. В маленьком пустом холле за стойкой сидела девушка, тут же навесившая на лицо приветственную улыбку.

— Бонжур! Что я могу сделать для вас, мадемуазель?

Не обращая внимания на девушку с улыбкой, она, завидев открытую дверь какого-то кабинета, а в нем топчан, направилась прямиком туда, собрав последние силы. Кабинет оказался пуст, чему она успела порадоваться перед тем, как растянуться на топчане и потерять сознание.

Вторник, продолжение

В ожидании полиции Реми аккуратно осмотрел тело. Девушка была в коротких джинсовых шортах, широкой белой блузке с глубоким вырезом, синих босоножках на шпильках. Волосы ее, длинные и светлые, оказались крашеными: у корней виднелись темные полоски. На руке модные часы, остановившиеся на отметке четыре двадцать пять, на пальце кольцо с сапфиром, окруженным мелкими бриллиантами (или подделка?), на шее золотая цепочка с крестиком. Больше при ней ничего не нашлось: ни документов, ни кошелька, ни мобильного. По логике вещей, все это находилось в ее сумке, — а сумка... Скорей всего, покоится на дне озера.

Видимых следов насилия не наблюдалось, по крайней мере, спереди. Только ноготь на одном пальце ноги был сильно надломлен. Споткнулась, ушиблась о камень?

Реми, стоя на коленях, осторожно приподнял тело, повернув его на бок. Ни на спине, ни на затылке тоже не оказалось никаких ран.

Он бережно опустил труп девушки на песок, запустил пальцы в карманы ее шорт, пошарил. Из левого выловил небольшой мокрый кусочек бумаги. Развернул.

— Не трогайте ничего до приезда полиции! — прогремел голос над его головой.

Реми положил клочок бумаги на место, в

28 карман утопленницы, поднялся, посмотрел на говорящего.

— Я хозяин этого побережья, — сообщил невысокий широкоплечий брюнет лет пятидесяти, — я отвечаю за все, что тут происходит! Только полиция имеет право осматривать тело!

— Я частный детектив, — Реми протянул удостоверение.

— Частный? Хм... Это дает вам право осматривать труп до приезда полиции?

— Нет, по правде сказать.

— Тогда отойдите!

Реми спорить не стал, отошел. Ксюша тут же ухватила его за руку и вытащила из толпы любопытных, отвела в сторонку.

— Реми, она русская! — прошептала она возбужденно. — У нее крестик на шее православный!

— Или сербка, или болгарка, или украинка...

— Тоже верно...

— В кармашке у нее лежит записка, и написана она кириллицей.

— Вот видишь!

— Так кириллицей пользуются, если я не ошибаюсь, не только русские?

— Не только... А что там написано?

— Я не понял. Успел прочитать только «виль»... Может, «вилька»?

— Там стоял мягкий знак?

— Да.

Реми за время жизни с Ксюшей немножко поднаторел в русском. До разговорного ему было еще далеко-предалеко, но кириллицу он читать умел и некоторые слова знал.

— Нет, не «вилка», она пишется без мягкого... Слово стояло отдельно? Или это была часть какого-то слова?

Реми подумал, вспоминая.

— Отдельно!

— Тогда... Реми, я подозреваю, что это было слово «виль»!

— А что это значит?

— По-русски — ничего. Произнеси по-французски!

— «Вилль»? То есть ville?

— Скорей всего. Что там еще написано?

— Я не успел разобрать...

Обидно. «Ville» означает всего лишь «город». А городов и городков тут великое множество...

Прибыла жандармерия, Реми с Ксюшей дали показания.

— Я частный детектив, — сообщил Реми, — и если могу быть вам полезен...

— Мы записали ваши координаты, — суховато кивнул молодой жандарм. Наверное, как и большинство южан, он не жаловал парижан. — Если что, свяжемся. В любом случае мы вас вызовем для дачи письменных показаний.

Слышно было, как он договаривался по телефону насчет водолазов, чтобы попытаться найти сумку утопленницы.

«Дохлое дело, — пробормотал невдалеке хозяин. — Тут такие водоросли, что в них целую лодку не найдешь, не то что сумку...»

Тело девушки с золотистыми волосами загрузили в машину, и вскоре пляж опустел. Солнце уже пригревало вовсю, и одежда Реми почти высохла за то время, пока он осматривал утоплен-

ницу да общался с жандармами. Он повел Ксюшу в кафе: после гребли и купания-ныряния в
холодной воде ему страшно захотелось есть. Они
уселись за столик, сделали заказ. Ксюше кусок в
горло не лез после пережитого потрясения, и
она попросила только кофе, круассан и сок, —
Реми же заказал омлет с ветчиной и чай.

— Вот после такого, — проговорила Ксюша,
обмакивая круассан в кофе, — после такого легко поверить, что Царица озера утащила девушку
на дно! Тем более что она блондинка, даже если
крашеная...

— Ну-ну, — усмехнулся Реми, с аппетитом
поедая омлет. — Может, ты переключишься на
жанр фантастики?

Ксюша обиженно умолкла. Но ненадолго.
Обижаться она не умела.

— Реми, а давай мы сами проведем расследование, а?

— И как ты себе это представляешь?

— Ну, ведь кто-то же ее утопил! Вот, будем
искать кто! У нас есть зацепка: если она и не
русская, то все-таки славянка, очень заметная,
красивая — на нее обязательно должны были обратить внимание! И мы сможем опросить жителей близлежащих городков, не видел ли ее кто-
нибудь! Я ее сфотографировала на мобильный,
мы будем показывать ее фотографию...

— Гз... Ксю, девушка могла сама упасть со
скалы! И никто ее не топил! Ты видела, какая
там крутая скала? А какие на девушке шпильки?!
Если она сдуру решила полюбоваться озером
сверху, то неудивительно, что она подвернула
ногу на камнях и упала в воду! Так что вряд ли

тут что-то можно расследовать, если ты имеешь в виду преступление.

— Но...

— Жандармерия, в отличие от нас, получит заключение судебно-медицинского эксперта, который с точностью скажет, было ли применено к ней какое-то насилие или нет. А у нас с тобой такой информации не будет. Ты слышала, как ответил мне жандарм? Разве что прямо не послал к такой-то маме!

— Реми, но все же...

— Позвольте мне составить вам компанию? — неожиданно раздался голос совсем рядом.

Они дружно повернулись: рядом с их столиком стоял хозяин побережья.

— Присаживайтесь, — кивнул Реми.

— Брюно, — он пожал им руки.

— Моя жена *Ксения* (он постарался выговорить имя правильно), а меня зовут Реми Деллье.

— Что-то вы мало заказали... Давайте еще что-нибудь попросим. За счет заведения!

— В чем дело? — насторожился Реми.

— Эээ... Не буду темнить, приступлю прямо к делу. Вот только заказ сделаю сначала...

Он махнул рукой, и официантка подлетела к столику.

— Тут очень вкусная рыба... Отведайте, не пожалеете!

Но Ксюша с Реми отказались.

— По бокалу вина? — настаивал Брюно.

— В такой ранний час? — удивилась Ксюша.

— Для вина любое время суток годится, мадам!

— Брюно, нас вполне устраивают кофе и чай. Говорите, с чем пришли, церемонии ни к чему.

— Я тут хозяин, как уже вам сказал... И мне дурная реклама не нужна.

— Это понятно.

— Вот и хорошо. Слухи расходятся быстро, сами знаете. Люди могут испугаться...

— Или, наоборот, потекут сюда рекой.

— Потекут, — согласился хозяин, — но люди суеверны. Они перестанут брать лодки и велосипеды — побоятся! Окопаются тут, на веранде ресторанов... Мне принадлежит только один — этот, где мы с вами сидим... Мои доходы складываются из аренды плавающих средств и этого ресторана... Причем за лодки и велосипеды я получаю доход едва ли не больше, чем приносит мне ресторан! Многие сюда приезжают лишь затем, чтобы покататься по озеру, искупаться, — эти платят еще за топчаны и кабинки для переодевания... Посетители нередко привозят с собой бутерброды и термосы, так что в ресторан заглядывают далеко не все... И если основная моя клиентура побоится теперь лезть в воду, то моему бизнесу конец!

— Чего вы хотите от меня? — спросил Реми, устав от предисловий.

— Пока жандармерия разродится... я успею разориться! Мне нужно, чтобы быстро доказали, что это несчастный случай... Или преступление, на худой конец! Чтобы никому не пришло в голову, что в моем озере действуют потусторонние силы! Которые готовы утащить любого на дно!

— Но ведь, — удивилась Ксюша, — вы сами сказали, что на этой легенде и построили свой бизнес!

— Ха! Легенды всем нравятся! До той поры, пока они не начинают реально осуществляться! Люди рекой текли на Царицу озера, — но с момента, когда появилась жертва... Многие решат, что это Царица утащила на дно девушку! Они и теперь притекут, повторяю, и в больших количествах, — но ни в воду, ни на воду не сунутся: побоятся! А это мой основной источник доходов!!!

— Я правильно вас понял, — перебил его излияния Реми, любивший во всем точность и конкретность, — вы хотите нанять меня?

— Да, да, именно! Докажите, прошу вас, и как можно быстрее, что эта утопленница погибла от рук человеческих, а не мистических! Что моя Царица тут ни при чем!

— Мне понадобятся результаты судебно-медицинской экспертизы. Отчет о находках водолазов. И вообще любая информация, которая станет известна местному сыску. Только я сомневаюсь, что со мной станут охотно делиться, с частным детективом и парижанином...

— У меня есть связи! — горячо заверил его Брюно. — У меня племянник работает в жандармерии!

— И если водолазы найдут тут ее сумку...

— Я сообщу вам незамедлительно!

— Ну что ж... Мой гонорар...

И Реми озвучил сумму.

Хозяин крякнул, но согласился.

— Ксюша, — произнес Реми, выходя из ресторана, — твои молитвы были услышаны: мы с тобой займемся этим делом!

— Уррра! — завопила Ксюша. И тут же деловито спросила: — С чего начнем?

— А с чего бы начали вы, мисс Марпл?

— Ты меня в старушки записал? — кокетливо «обиделась» Ксюша.

— Нет, что ты! — иронично откликнулся Реми. — Я тебя в сыщицы записал... Ты же у нас теперь детективщица, а? Ну, давай, пораскинь мозгами!

Ксюша, хоть и чувствовала иронию мужа, решила не обращать на нее внимание. У нее возникла редчайшая возможность показать, на что она способна! А она способна... на многое! И пусть Реми над ней подтрунивает — она докажет ему, что справится!

— Первое, — проговорила она, — девушка русская... Или хотя бы славянка. Крестик православный, и пишет она кириллицей!

— Возражений нет, — кивнул Реми.

— Второе. Одета она не для прогулок по горам! Ее на эту скалу кто-то заманил! И столкнул в воду!

— Скороспелый вывод. Некоторые твои соотечественницы и шагу не могут сделать — не важно где — без того, чтобы не разодеться.

— Вот видишь, ты тоже склоняешься к мысли, что она моя соотечественница, то есть русская!

— Просто потому, что на Лазурном Берегу больше всего русских.

— Тогда проделаем простое арифметическое сложение: она православная, она пишет кириллицей, а на Лазурном Берегу больше всего русских!

— Допустим. Но будем держать в уме вариант, что она из другой страны Восточной Европы.

— Будем! А пока давай считать, что она русская. Теперь, одета она в дорогие шмотки. И рост у нее, и телосложение модельки... Такие девушки обычно приезжают с компанией... С компанией мужчин. Которые обеспечивают ее пребывание на дорогом курорте!

— Обобщение всегда хромает, — заметил Реми. — Но нередко работает. Примем его за рабочую гипотезу.

— Но тут не Лазурный Берег, — продолжала Ксюша. — Мы в Альпах, до моря довольно далеко. Значит, девушка приехала в эти места по каким-то особенным причинам! Например, ее кто-то уговорил — типа, показать ей легендарное озеро... И столкнул ее со скалы!

— Девушка могла сама упасть, Ксю! У нас пока нет никаких причин думать, что ее нарочно столкнули!

— Нет, нет и нет! Такие модельные девушки не жаждут осматривать исторические и культурные достопримечательности! Она бы никогда не поехала сама! А уж если бы вдруг эта девушка оказалась исключением, пылающим любовью к одиночным походам по горам, — то она бы надела соответствующую обувь! А не босоножки на шпильках!

— Хорошо... — Реми подумал немножко. — Согласен. Будем считать, что она приехала сюда не одна.

— А человек, который ее привез, столкнул ее со скалы!

— Или она упала сама, — настаивал Реми.

— А где же в таком случае ее рыцарь?

— Испугался и смылся. Помочь ей он все равно бы не смог: тут звать на помощь некого, от этой скалы до противоположного берега озера звук не донесется. Нырнуть вслед за ней он тоже не мог: скала слишком высока для ныряния, он бы просто разбился, как и девушка; а в обход или в объезд тут далеко...

— Хм... Такой расклад исключить нельзя. Надо нам туда забраться и осмотреть местность!

— Согласен, мадемуазель Марпл. Пошли к машине.

Окружной путь к скале и впрямь оказался неблизким. Вокруг озера дороги не было, и им пришлось вернуться на шоссе, затем проехать через несколько поселков, расспрашивая по дороге местных жителей.

— Реми, смотри! — указала Ксюша на очередное дорожное панно. — «Вилль де ...»

— И что?

— Слово «вилль»! А что, если наша девушка именно в этот городок ехала?

— Их тут уйма. — Он подвинул карту Ксюше. — Видишь? «Вилль» такой, «вилль» сякой...

Наконец они добрались до просторной округлой смотровой площадки со стоянкой и рестораном, создававшей «карман» у шоссе. Именно сбоку от этой площадки начиналась тропинка, ведущая, по словам аборигенов, на скалу, в самом начале которой желтое панно призывало туристов к бдительности: «Внимание, обрыв! Территория не ограждена!»

Приткнув машину, они вышли. Ксюша полезла в багажник, вытащила оттуда чемодан.

— Зачем тебе? — поинтересовался Реми.

— Кроссовки надену. Я не хочу упасть со скалы, как та девушка... — Она присела на бетонный парапет, окаймлявший смотровую площадку, и переобулась.

Они двинулись по тропинке, и минут через двадцать ходьбы внизу слева блеснуло озеро. Скала была практически отвесной, и от ее опасного края тропинку отделяла лишь полоска около метра шириной, поросшая пожухлыми под южным солнцем пучками высокой травы.

— Как красиво... — произнесла Ксюша, посматривая вниз.

Озеро лежало в чаше гор и сияло нестерпимой, нереальной голубизной.

— Бесподобно, — согласился Реми. — Никогда не видел такого яркого цвета. Понятно, что любая вода отражает небо, и когда оно голубое, то и вода кажется голубой... Но тут что-то еще.

— Это потому, что оно лежит среди гор, я думаю. Горы отражают свет... Или не отражают?

— Из-за водорослей скорее, они ведь белые. А может, еще и флюоресцируют... Надо будет почитать об этом озере, вот уж и впрямь диво!

Противоположный берег, откуда они уехали около двух часов назад, с его причалами и ресторанами, раскинувшими цветные навесы, казался отсюда микроскопическим райским уголком.

Легкий ветерок развевал волосы Ксении — длинные, каштановые с рыжинкой, они в распущенном виде доставали до середины ягодиц, но обычно она их подкалывала или заплетала в косы. Сегодня она закрутила косы по обеим сторонам головы, но несколько прядей небрежно выбились, и ветер играл ими, обвивая стройную шею. Реми невольно залюбовался женой, ее тонкой фигуркой, которая здесь, на скале, казалась отчего-то особенно хрупкой.

Ксюша сделала осторожный шажок к краю.

— Эй-эй, — закричал Реми, — не вздумай приближаться!

Он крепко ухватил жену за руку.

— Я только чуть-чуть... Смотри, тут камни... они могли осыпаться под ногой, если девушка подошла к краю...

Ксюша вдруг опустилась на землю.

— Что такое? Голова закружилась? — забеспокоился Реми.

— Нет... Я хочу камень столкнуть... Но мне стоя страшно, поэтому я села...

Ксюша приладилась и пихнула не слишком большой камень. Однако тот и не думал поддаваться.

— Вот этот толкни, — указал Реми. — Он полегче на глаз.

Ксюша толкнула булыжник, и тот качнулся. Тогда она толкнула его посильнее... И камень медленно, словно неохотно обернувшись вокруг себя пару раз, подкатил к самому краю обрыва и рухнул вниз.

— Получилось! — удовлетворенно произнесла Ксюша и поднялась.

— Браво. Теперь скажи, зачем тебе это понадобилось?

— А вот зачем! — она указала на оставшуюся от камня лунку: почва под ним была немного влажной, а саму лунку обрамляли зеленые, живые травинки, укрывшиеся под камнем от палящего солнца. — Помнишь, у девушки разбит ноготь на большом пальце правой ступни? Значит, она споткнулась и, возможно, свернула камень. Мы можем найти это место!

— Ход твоей мысли мне нравится. Но лунка, если она и есть, давно высохла. На часах девушки было четыре двадцать пять, — полагаю, что вчерашнего дня. Сомневаюсь, что она пошла бы гулять сюда ночью.

— Я тоже. Да и вообще, ее могли сюда привезти уже мертвой и скинуть тело в воду.

— Видимых следов насилия нет... во всяком случае, ее не зарезали, не застрелили и не задушили. И большего мы без результатов вскрытия не узнаем.

— Так это еще сколько ждать! Давай пока сами исследуем что можно! Даже если лунка и высохла, то вокруг нее травка зеленая, между прочим! Тоже знак!

— Ладно, — согласился Реми. Ему было столь странно обсуждать подобные вещи с Ксюшей, что его не отпускало ощущение, что они играют в игру. Может, причина в том, что он сам задал условия: отвел ведущую роль в расследовании жене и теперь следил за ходом ее мысли — весьма правильным, к слову. Так взрослые следят за детскими достижениями, радуясь, что у чада получается все ловко и складно, иногда подсказывая и повторяя: молодец, хорошо, правильно!

Он осмотрелся. Они находились над той частью озера, откуда наблюдали явление Царицы озера, — то есть справа, если смотреть от берега. Тогда как утопленницу они нашли в другой части, в левой.

— Нам туда, — указал Реми вперед.

И тут же чертыхнулся. Они забыли про расщелину в скале! Ту самую, через которую проходил солнечный свет, создавая эффект женского силуэта!

Они все же прошлись до разлома. Расщелина была широкой — не переступить, не обойти...

— Значит, девушка попала сюда не со смотровой площадки. А с другой стороны скалы. Возвращаемся в машину, Ксю.

И снова они ехали по горной дороге, и Ксюша не переставала удивляться феномену этих мест: с одной стороны, по склону вверх, виллы возносятся горделиво, даже как-то самодовольно, посматривая свысока на машины, проезжающие у их подножия; с другой же стороны горы, уходящей вниз, видны были только крыши. Они казались огромными ступенями, вызывая иррациональное желание поскакать по ним в долину...

Время от времени они проезжали поселения, где спрашивали у местных жителей дорогу. Прошел еще час, прежде чем они добрались до того городка, от которого, как им подсказали, можно попасть на скалу с другой стороны.

Проехали нарядный центр с кафе, магазинами, собором, миновали теннисные корты. За ними начиналась оливковая роща, а дальше раскинулась дикая гористая местность.

Реми приткнул машину у кортов, и они двинулись пешком. Оставив позади оливковую рощу, они немного поплутали в поисках тропинки, ведущей к скале, и успели основательно изжариться на солнце, пока не наткнулись на точно такое же ярко-желтое панно, призывавшее туристов к бдительности: «Внимание, обрыв! Территория не ограждена!»

Наконец они выбрались на скалу. Реми осторожно заглянул вниз, Ксюша за ним, ухватившись за его руку. Озеро все так же одуряюще сверкало лазурью, только теперь на его глади, прямо под скалой, покачивались две лодки, казавшиеся пустыми.

— Водолазы, — констатировал Реми.

И в самом деле, через некоторое время один из них показался из воды, забрался в лодку, а спустя минуту вынырнул и его коллега. Насколько можно было рассмотреть с высоты, руки их были пусты: ничего не нашли.

— Девушка упала примерно отсюда, — Реми вытянул руки в стороны от того места, где они стояли, — метров пятнадцать влево и столько же вправо, точнее сказать трудно. С учетом плотных зарослей водорослей, тело дрейфовать не могло, так что будем искать на этой полоске.

Они принялись внимательно изучать поверхность скалы в обозначенном отрезке. Лунку от свергнутого в воду камня, вопреки надеждам Ксюши, им обнаружить не удалось, зато несколько сбитых и смятых пучков травы привлекли их внимание. Присев на корточки, они рассматривали каменистую почву.

— Смотри, — произнесла Ксюша, — здесь, где земля, дырочки... По-моему, от ее шпилек! Они наклонно уходят в почву, будто девушка упиралась... И подрыла каблуками траву, вот эту, почти с корнем.

Реми кивнул и передвинулся чуть в сторону.

— По-моему, это кровь, — произнес он,

вглядываясь в один из булыжников. — Видишь это небольшое коричневое пятно?

Он достал из походной сумки бутылку с водой, намочил пальцы и коснулся пятна, чуть потерев его. Затем посмотрел на палец.

— Красный... — произнесла Ксюша.

— Кровь. Подозреваю, что именно об него девушка разбила палец ноги.

Они переглянулись и распрямились.

— Ты думаешь то же самое, что и я? — спросил Реми.

— Ее толкали, она пыталась сопротивляться... Она не хотела в воду... Это не несчастный случай!

— *Это убийство.*

Понедельник, продолжение

Один из пациентов в последний момент предупредил, что не придет на прием, и доктор Лоран Бомон, воспользовавшись нечаянным «окном», решил сходить выпить кофе.

Возвращался он в медицинский центр по узким булыжным улочкам в обрамлении буйно цветущих садов, пребывая в прекрасном расположении духа: эти места, которые он любил, в которых он вырос, неизменно наполняли его сердце божественной красотой и чуть-чуть печалью — такой, какая, случается, нисходит на душу, когда слушаешь музыку великих композиторов.

Секретарша за небольшим бюро в холле вскочила ему навстречу. «Там у вас... Там девушка спит!»

Лоран бросил взгляд в свой открытый кабинет — он часто оставлял дверь настежь, когда уходил, чтобы устроить хоть небольшой сквозняк, столь спасительный в жару. Администрация медцентра до сих пор не оборудовала кабинеты кондиционерами, хотя дело обсуждалось уже третий год...

На смотровом столе — проще говоря, на топчане — он увидел женщину... Точнее, девушку — даже издалека было понятно. Лоран развеселился: такого еще не случалось, чтобы пациенты спали в его кабинете! Правда, как-то во время осмотра задремала старушка, — но так то ж старушка... А сейчас тут неизвестно откуда появилась спящая красавица! «Поцеловать ее, что ли? — весело думал он. — И стану сразу принцем!»

Быстрым шагом он вошел в кабинет, приблизился...

И оторопел.

Казалось, от нее исходил свет. Может, виной тому была ее слишком белая кожа, непривычная тут, на юге, или светлые волнистые волосы, как у «Ангела» Рафаэля, рассыпавшиеся вокруг ее головы ореолом, — он не знал.

Он не успел рассмотреть ее толком, он не успел оценить привычным мужским взглядом ни фигуру, ни лицо (оно было повернуто к стене, — так только, абрис щеки и ресницы...), ни одежду — ощущение необыкновенной гармонии этого тела поразило его раньше. Гармонии и...

И незащищенности, больно ударившей его в сердце.

Ему отчего-то почудилось, что эта юная женщина, почти дитя, спустилась на топчан в его кабинете прямо с неба. Как подарок. Как надежда. Как знак свыше.

...Подобно большинству мальчиков, Лоран созревал в ожидании великой любви, всячески прикрывая это ожидание показным цинизмом. В лицее он страстно увлекся экзистенциалистами и любил повторять слова Сартра: «Ад — это другие!» — питая при этом в глубинах души надежду, что все-таки найдется однажды такой Другой... Вернее, такая Другая, которая станет его Раем.

Время шло. Из лицеиста он превратился в студента медицинского факультета Лионского университета. Его подростковый цинизм теперь казался ему чуть ли не розовым романтизмом по сравнению с ядреным, культивируемым цинизмом будущих медиков. В Лионе, в этом большом городе, где столько возможностей для встреч, он, следуя неписаному (но поощряемому) студенческому коду поведения, проводил свободное время в кабаках и в случайных пересыпах со случайными партнершами... Пока однажды не понял, что ему это претит.

Из угара первых трех лет учебы он вынес заключение, что Сартр полностью прав. И ждать Другую смысла нет: ее не существует в природе. Сартр знал, что говорил.

Окончив университет, он вернулся к себе, в район альпийских предгорий. Поработал, как водится, сначала на заменах двух врачей общего профиля (что в России называется «терапевт»).

Один из них собирался вскоре на пенсию, и Лоран предполагал занять его место.

Через год с небольшим молодой доктор взял ссуду в банке и выкупил кабинет того самого ушедшего на пенсию доктора в медицинском центре города Монвердон. За короткое время он стал любимым «семейным врачом» местного населения. Дела шли столь успешно, что он досрочно выплатил кредит банку и вскоре взял новый: хотел выкупить родительский дом, где пока и жил. Отец его — тоже врач, хирург в местной клинике, — достигнув пенсионного возраста, решил перебраться поближе к морю. Мать Лорана никогда не работала, так что ее ничто не держало в Монвердоне. Но купить новый дом можно было, только продав старый, — и Лоран взял кредит, вернул родителям деньги, помог с покупкой нового жилья и с переездом, — а сам расположился в одиночестве на той вилле, на которой вырос.

Вскоре он завел необременительный роман с местной художницей по керамике, девицей вольных взглядов, который вполне устраивал обе стороны. Лоран полагал, что однажды — когда захочется обзавестись потомством — он все-таки женится... И постарается выдержать Ад.

А пока он наслаждался уединением, редкостной красотой родных мест, музыкой и чтением, по большей части философов, хотя вектор его интереса несколько сместился: теперь он читал современных.

Когда же отшельничество ему прискучивало, он ехал в Ниццу, где практиковали два его бывших сокурсника. Те активно старались ввинтиться в местный бомонд (тоже способ делать карьеру), и Лоран, хоть и смотрел на их потуги с иронией, но все же иногда присоединялся к ним: светские тусовки, концерты, приемы и прочие методы убийства времени имелись в Ницце в избытке.

Как сказал его любимый Сартр: «У человека в душе дыра размером с бога, и каждый заполняет ее, как может».

Лоран и заполнял, как мог.

Встреча случилась тогда, когда он меньше всего ее ожидал. К ним в медцентр пришла практикантка, миловидная брюнетка с выразительными глазами, недавняя выпускница того же факультета, который Лоран и сам окончил тому уж лет пять назад.

Очень быстро выяснилось, что она — звали ее Шанталь — любит такую же музыку, что и он; что она влюблена в горы; что она увлекается Сартром; что она...

Она любила все то, что любил Лоран. Она разделяла каждую его мысль, каждую его эмоцию.

Она была той, которую он так долго ждал!

Роман закрутился со стремительной быстротой. Уже через два месяца Лоран сделал ей предложение. Но Шанталь ответила, что слишком молода... и пока не чувствует себя готовой к семейной жизни.

Лоран принял ее ответ. Он считался с ее точкой зрения. Он помогал ее карьерному росту. Он ее любил. Он ею дышал. Она стала средоточием мироздания.

...Он слишком поздно понял, что Шанталь лгала. Лгала каждым словом, каждой улыбкой, каждым вздохом.

Когда она спустя год сообщила, что перебирается в Париж, — благодаря, к слову, тем профессиональным рекомендациям, которые ей дал доктор Лоран Бомон, и нескольким статьям в научных сборниках, которые он же помог ей написать, — он даже не сразу понял, что происходит. Он искренне порадовался за нее. «Тогда я займусь поисками работы для себя в Париже», — сказал он.

Шанталь долго молчала, глядя на него своими чудными темными глазами, которыми Лоран не уставал любоваться... Но сейчас в них словно занавес опустился в конце спектакля, а режиссер там, за занавесом, все решал, поднять ли его снова, выйти ли еще раз к зрителям...

А потом она, так и не произнеся ни слова, повернулась и вышла из его кабинета.

Лоран провел тяжелую бессонную ночь, мучаясь в догадках, — а наутро, придя на работу, нашел на своем письменном столе конверт с запиской.

«Я уехала. Не ищи меня. Спасибо за все. Прощай. Шанталь».

Дыра в душе... *Размером с бога*, говоришь, Жан Поль?[1] Это не смертельно, дружище, — потому что ее еще чем-то можно заполнять! А вот когда в душе пробоина *размером с предательст-*

---

[1] Сартр.

во, — то ничем ее уже не заполнишь: нечего заполнять, умерла душа, сожжена...

Он молча запер свой кабинет, не ответил на встревоженный вопрос секретарши — разговаривать он был не в состоянии — и помчал в Ниццу. Как он не сорвался в пропасть на безумной скорости, с которой гнал по горным дорогам, — загадка...

Там, в городе, он рванул к друзьям, спросил, где найти кокаин. В студенческие годы им баловались (но именно «баловались») едва ли не все на медфаке, — так что Лоран знал, зачем приехал.

Друзья подсказали.

На кокаине Лоран просидел почти год. Десять месяцев, если точнее. Еще пару месяцев из его плена выпутывался.

Сумел.

Вернулся к своему привычному образу жизни: природа, музыка, книги, иногда — тусовки, для разнообразия. И к мысли, что другие — это Ад.

...А вот сейчас он стоял в своем кабинете, созерцая незнакомую девушку, словно упавшую с далекой звезды к нему, на его докторский топчан. И даже невольно на потолок посмотрел, нет ли в нем пролома...

Пролома там, разумеется, не было.

Лоран деловито прогнал странные (и совершенно нелепые!) мысли и принялся рассматривать незнакомку. Ее простенькая одежда — летняя юбка с цветочным узором в фиолетово-синей гамме, равно как и майка, светло-синяя, на бретельках, открывавшая верх нежной белой груди, — была грязна. На руках и ногах девушки виднелись множественные царапины.

Сквозь разметавшиеся волосы он вдруг заметил красные мазки крови на бумажной простыне. И мгновенно понял: на затылке рана, и кровь размазалась, когда девушка мотала головой во сне...

Нет, не во сне — в обмороке!

В этот момент Лоран сконцентрировался — он стал врачом, и только врачом. Перед ним теперь была не девушка, вызвавшая у него столь необычные чувства, — перед ним находилась пациентка, нуждавшаяся в его помощи.

И Лоран принялся ей эту помощь оказывать.

...Кажется, наступал вечер: широкое окно было густо-синим. В комнате горел яркий электрический свет. Она лежала на чем-то жестком. Похоже, на топчане... Ах, ну да!..

Она вспомнила, как рухнула на него в пустом кабинете медицинского центра. Приподнявшись на локте, она осмотрелась. Кабинет был по-прежнему пуст. Большой письменный стол буквой «г», на нем компьютер, за ним внушительное хозяйское кресло... Хозяином должен быть врач, — коль залетела она в медицинский центр... Перед столом еще два кресла, помельче: для посетителей. Узкий книжный шкаф с медицинской литературой. Весы, прибор для измерения давления... И ни души.

А кто же тогда включил свет?

Осторожно, стараясь не делать резких движений, она села, свесив ноги. У топчана лесенка в

50 две ступеньки: чтобы пациентам было удобнее слезать.

Голова по-прежнему разламывалась от боли. Хотелось пить. У противоположной стены она увидела раковину с краном, рядом стопка одноразовых пластиковых стаканчиков. Опробовав ногой ступеньку, перенесла на нее тяжесть тела и, держась за топчан, осторожно ступила на пол.

Оказалось, что ноги ее босы. Значит, кто-то снял с нее босоножки... А вот и они, в сторонке, аккуратно поставлены рядышком...

Она добралась до крана и принялась пить.

— Ну, наконец-то!

Она вздрогнула и обернулась.

На пороге стоял молодой мужчина, светловолосый — что не типично для французов, особенно южан. Брюки кремовые, рубашка с короткими рукавами на тон светлее, пуговки у шеи расстегнуты, — вид летний и... Как это называется?

Она подумала и нашла слово: непринужденный.

— Ты[1] пришла в себя, мерси, мон дьё!

Она поняла: «спасибо богу»... Неужто дела ее столь плохи, раз он не особо надеялся, что сознание к ней вернется?

Он подошел к ней поближе и принялся рассматривать ее лицо, словно чему-то удивляясь.

Затем, поймав ее взгляд, немного смутился и заговорил с повышенной бодростью:

---

[1] Во Франции обращение на «ты» довольно распространено среди молодежи. В данном случае доктор считает девушку совсем юной, отчего обращается к ней запросто, на «ты».

— А вот вставать тебе нельзя! Пошли, я по- **51**
могу тебе лечь. Сейчас за тобой приедет машина, отвезем тебя в больницу.

— Меня?

— А кого? Или я похож на человека, нуждающегося в госпитализации?

Она посмотрела на остряка-доктора. Загоре-
лый, румянец на щеках... Да уж, из них двоих в
больнице нуждается явно не он.

Он крепко взял ее под локоть и, приговаривая: «Тихонько, тихонечко, вот так, понемнож-
ку...» — отвел ее к топчану, придержал за спину,
чтобы она опустилась на топчан мягко.

— Как тебя зовут?

— Меня? — переспросила она.

— Как зовут меня, я в курсе, — улыбнулся
он. — Кстати, доктор Лоран Бомон. А тебя как?

— Кажется... Кажется, Лиза...

ЛИЗА. Это имя показалось ему необыкновенно красивым, загадочным, таинственным.
Только так могла зваться женщина, прилетевшая
к нему в кабинет с далекой звезды...

— Как «Мона»? — глупо пошутил он.

Девушка не поняла, о чем он, и насупилась.

— Почему ты говоришь «кажется»?

— Я... Я просто не уверена.

— Хм... А фамилия у тебя есть?

Она пожала плечами.

— Ты не хочешь мне сказать?

— Нет, почему же... Просто у меня голова так
сильно болит, что мысли путаются...

— Вот подарочек, — хмыкнул Лоран. — Так у
тебя еще и амнезия?

— Амнезия?

— Ну, раз ты не помнишь, кто такая!

— Меня Лиза зовут!

— Ага, «кажется»! — насмешливо произнес доктор.

...Лоран так и не смог полностью избавиться от того странного ощущения, которое испытал, обнаружив эту девушку у себя в кабинете. Сейчас, когда она очнулась, когда он увидел ее глаза — светлые, с четким контуром ресниц, широко расставленные, — чувство ее «инопланетности» даже усилилось. И ему было неловко за это чувство: как мальчишка, право слово... Даже не лицеист, а так, начальная школа, когда еще немножко веришь в сказки...

Он его старательно гнал от себя. Так старательно, что, похоже, переборщил с иронической интонацией... Но он не знал, как с ней разговаривать. Как нужно разговаривать с девушкой, прилетевшей с далекой звезды? Может, где-нибудь существует руководство по общению с инопланетянками? Да он все равно его проштудировать не успел...

— Ну, извините, — сухо ответила она. — Я сейчас уйду... Не буду вас больше беспокоить.

— И куда же это?

— Я?

— Ты, ты. Куда собираюсь я, мне известно. А вот куда собралась ты?

— Я...

— Тебе один путь, ма белль[1], — в больницу.

— У меня что-то с головой, да?

---

[1] «Моя красавица». Довольно распространенное обращение во Франции, которое обычно не имеет оттенка фривольности.

— Не «что-то», а сильное сотрясение мозга вкупе с приличной гематомой!

— А почему?..

— Так это тебе лучше знать... Кто-то тебя по голове капитально ударил. Или ты сама обо что-то сильно ударилась. Не вспомнишь, случаем?

— Нет...

— Ладно. Я вызвал жандармерию, может, они что разузнают...

— Жандармерию? — с ужасом произнесла она. — Это как полиция?

— Да, а что ты так испугалась? Ты нелегально тут находишься?

— Легально... кажется... Я в гости... кажется... Нет, не помню... А зачем их?!

— Это обязательная процедура. Они уже уехали, не бойся. Констатировали ранение, — мало ли, вдруг оно имеет криминальное происхождение... И запечатлели твой портретик — на случай, если тебя искать кто станет. Надо же установить твою личность, как ты считаешь?

— А голова моя... Насколько это серьезно?

— Пролома черепа нет, тебе повезло, только трещина. Обширная гематома, я тебе уже сказал, — скорее всего, она и служит причиной твоей потери памяти. Это ненадолго, не бойся: как только гематома рассосется и пройдет шок, память восстановится... Во всяком случае, я на это надеюсь. Далее, следов насилия нет, не считая царапин. Сексуального насилия тоже нет...

— Вы меня... Вы?..

Доктор понял.

— Не я, — заверил он девушку. — Я врач общего профиля, а на предмет возможного изнасилования осматривал тебя наш гинеколог. Она женщина, к слову, если тебя это волнует... Тебе вообще крупно повезло: я тут сорганизовал своих коллег, рану твою обработал дерматолог, рентген сделали в нашем кабинете радиологии: надо было понять, каков характер твоей травмы. Стало ясно, что без больницы не обойтись, травма серьезная... Хотя в больницах не очень-то любят таких, как ты: ни документов, ни денег! И страховки небось нет. Кто платить будет, а?

Она не ответила.

— Ладно, не бойся, тебя все равно примут и сделают все, что надо. Если потом, когда память к тебе вернется, сможешь заплатить, то и хорошо.

— А если нет?

— Ну, значит, получишь блага цивилизации даром.

— Такое бывает?.. — не поверила Лиза.

— В нашей стране — да! — хохотнул Лоран.

— А вы и ваши коллеги... Я ведь вам тоже не могу заплатить...

— Ма белль, считай, что это благотворительный жест.

— Я должна вам «спасибо»?

— Лишним не будет, уверяю тебя. Я организовал тебе обследование, которое стоит немалых денег. Вернее, гражданам Франции оно ничего не стоит, практически все покрывает страховка, но ты-то русская! К тому же без документов!

— Я — русская?!

— А кто же ты еще?

— Русская... Точно, я русская... Я из Москвы!

— Память начала возвращаться? Может, и фамилию вспомнишь?

— Вспомню! Просто у меня голова сильно **55** болит...

Она подняла руку, намереваясь потрогать затылок...

— Стоп! — прикрикнул доктор. — Не прикасайся! Мы рану обработали, теперь там наклейка. Часть волос, извини, пришлось выстричь.

Он посмотрел на нее ожидающе, словно предполагал увидеть реакцию на слова о выстриженных волосах: девушки обычно очень расстраивались после такого известия.

Но его странная пациентка была озабочена вещами поважнее.

— Откуда вы узнали, что я русская?

— У меня мать чешка. Она в детстве учила русский, тогда это было обязательно, — ну, она меня некоторым словам научила... А ты бредила. Я пару слов опознал, только и всего.

— Какие?

— Слова? Ты маму звала... и какого-то Сашеньку...

— Сашеньку?

— Да. Не помнишь, случаем, кто это? Твой муж, приятель? Ты звала его... И голос у тебя был отчаянный и... нежный, что ли. Видимо, любишь ты этого Сашеньку...

...Лорана неожиданно больно уколола в сердце ревность. Хотя, может, не ревность это была, а разочарование... Если есть этот «Сашенька», то разве может быть девушка с далекой звезды подарком ему, Лорану? Что-то напутали тут боги...

Или он сам напутал. Со своими неуместными, детскими, нелепыми ощущениями! И это после всего того, что он пережил?! После Шанталь?!

Нет, его решительно занесло куда-то не туда. Какие, к черту, «далекие звезды»?! Возьми-ка себя в руки, парень! Займись делом, доктор!

...Лиза прижала пальцы к вискам. Что-то крутилось в ее отекшем мозгу, какое-то воспоминание, но ей никак не удавалось его поймать — оно не давалось в руки, словно юркая рыбешка на мелководье. «Са-шень-ка, Са-шень-ка...» Это имя было ей дорого. И это было все, что она знала.

— Но ты не сказала ничего такого, — продолжал Лоран, — чтобы можно было понять, что с тобой приключилось... Кроме того, у тебя русский акцент. На Лазурном Берегу много русских, а я часто езжу на побережье, привык распознавать их произношение.

— И ты меня ненавидишь?

— С какой стати?

— Чехи, поляки, прибалты терпеть не могут русских!

— Я не поляк и не прибалт, ма белль. И даже не чех. Я француз. И политические игры между родиной моей маман и твоей родиной меня мало волнуют. Для меня ты пациентка. Хоть и анонимная, что довольно забавно... К слову, на тех русских, которые приезжают отдыхать на Лазурный Берег, ты не похожа. Одежда на тебе недорогая, обувь тоже. Там таких не водится.

— Как же я здесь оказалась?

— Хороший вопрос. Но на него только ты

можешь дать ответ. Кстати, как ты нашла наш медицинский центр? Что было перед этим?

— Я пришла в себя в... в горах. Мне было очень плохо, голова раскалывалась... Я решила пойти по тропинке вниз...

— Сумки при тебе не было?

— Какой сумки?

— Обыкновенной. Какие женщины носят с собой.

— Не было... Или я ее не заметила? Я в тот момент плохо соображала... Меня тошнило...

— В твоем состоянии это естественно. Надо будет подъехать на то место, поискать, — задумчиво произнес Лоран. — Вдруг она где-то там лежит? А в ней твои документы! Мы тогда узнаем, кто ты. И, к слову, может, найдем следы крови на каком-нибудь камне: тогда будет ясно, что ты упала и головой ударилась. Найдешь место, как ты думаешь?

— Не знаю... У меня все плыло перед глазами, — ответила она, с ужасом думая о том, что ей совсем ни к чему вести туда доктора: там хижина, где лежит труп человека, которого она убила! — Потом со мной снова случился обморок, — поторопилась она продолжить, чтобы не задерживаться на опасном вопросе о сумке и осмотре места. — Спустя какое-то время я опять очнулась и продолжила спуск, пока не добралась до этого городка... Мне официант в кафе сказал, что здесь есть медицинский центр, и я пошла по улице... А затем почувствовала, что снова теряю сознание. Я сюда вошла уже из последних сил и увидела через открытую дверь этот топчан... В тот момент у меня была только одна мысль: лечь!

— И ты легла, — подытожил Лоран. — А у меня в тот момент образовалось «окно» — пациент не пришел на прием, — и я ходил перекусить в кафе... Вернулся — и нате вам, сюрприз! Сначала я рассердился и хотел тебя выгнать...

Ну не мог же он сказать незнакомой девушке, что она ему показалась упавшим с неба подарком!

— ...но понял, что ты без сознания, — продолжил доктор. — Пришлось мне тобой заняться... О, кажется, «Скорая» подоспела, — навострил он ухо.

И точно, за дверью послышался шум, и не прошло и минуты, как в его кабинете показались двое мужчин с носилками на колесиках.

— Кто тут пострадавшая? — громогласно проговорил один. — Вот эта?

Лоран кивнул, и мужчины подкатили к топчану носилки. Они ловко переложили на них Лизу и повезли ее к выходу.

— Я с тобой, не волнуйся! — проговорил доктор Бомон, следуя за мужчинами.

В машине ее легко переместили на лежак «Скорой» и пристегнули ремнями.

Они ехали довольно долго, покачиваясь на поворотах, которыми изобиловала горная дорога. В какой-то момент в окна полыхнул яркий свет, и машина, свернув в его сторону, вскоре затормозила. Затем обратная процедура: с лежака — на носилки, которые выкатились на ступеньку машины, — та опустилась, и, оказавшись на земле, носилки вновь выросли. Санитары повезли ее внутрь здания, сиявшего огнями.

Лиза скосила глаза, убедилась: Лоран следовал за ними, не обманул.

В зале, который носил название «экзаменационный» (то есть тот, где проводят исследования), к ней потекли врачи. Один снимал кардиограмму, другой делал анализ крови, третий измерял давление... Затем ее отвезли в соседнюю комнату, где находился сканер.

— Они собирают информацию для хирурга и анестезиолога, — шепнул Лоран.

— Хирурга? Меня собираются... Меня будут резать?!

— Лиза, — строго откликнулся Лоран, — тебя будут спасать! Лечить, понимаешь? Что сочтут нужным, то и сделают! Доверься врачам, расслабься!

— Я понимаю... Но что они все же собираются со мной сделать?!

— У тебя травма головы. Надо сделать пункцию... То есть отсосать гематому, которая образовалась под оболочкой мозга из-за удара. Иначе она будет давить на мозг, а это чревато... Это опасно, поверь мне! Врачи делают то, что нужно в данной ситуации. Расслабься.

Она ему поверила. Прикрыла глаза и отдалась во власть врачей.

Через некоторое время ее попросили проглотить таблетку — она послушно проглотила.

И еще спустя минут десять каталку тронули, повезли...

Ею овладевала сонливость, но все же она успела заметить, что Лоран следует за ней в лифт...

После недолгой езды по коридорам Лиза оказалась в операционной. К ней подошел человек в голубом стерильном халате и ввел ей в вену на кисти иглу, на обратной стороне которой торчал странный кусок пластика с четырьмя гнездами. Его назначение она поняла чуть позже, когда в одно из гнезд ввели наконечник капельницы, а в другую — шприца с какой-то жидкостью... «Это анестезиолог, — шепнул Лоран, — не бойся!»

— Ну а теперь будем баиньки, как хорошая девочка! — весело произнес анестезиолог.

— Спокойной ночи, малыши! — ответила она, чувствуя, как по вене левой руки течет что-то горячее и хмельное.

— Ну, кому «спокойной ночи», а кому работа! — хмыкнул анестезиолог.

Это последнее, что она услышала за этот жуткий, нескончаемый, трудный день.

Вторник, продолжение

Ксюша прижалась к мужу, потрясенная. Живое воображение всегда ставило ее на место жертв, даже когда она смотрела фильм или читала книгу, — вот и сейчас ей на мгновение показалось, что чьи-то сильные и недобрые руки толкают ее на край скалы, под которой сияло озеро, отражая невинную голубизну неба... Голова ее закружилась, словно она уже летела с высоты двенадцатиэтажного дома вниз, в голубой холод, и знала, что спасения нет...

Она схватилась за Реми, который крепко обнял ее. Он знал, что жена его впечатлительна, и сомкнул вокруг нее свои сильные загорелые руки.

— Пойдем, — произнес он через некоторое время.

— Куда?

— Попробуем расспросить жителей ближнего городка, Вилльгарда: чтобы попасть на скалу, нужно проехать или пройти через него. Девушку могли в городке заметить, обратить на нее внимание — она яркая, красивая. И слово «виль» в ее записке могло относиться как раз к нему, к Вилльгарду!

— Пойдем, — Ксюша высвободилась из рук мужа. — Только... Погоди минутку!

Она сорвала несколько скромных лазоревых цветков, названия которых она не знала, росших на горе там и сям, и бросила их в лазурную воду, как в могилу.

После чего Реми, взяв жену за плечи, увел ее со скалы.

В каждом жилом образовании — будь то отдельная деревушка или двор из нескольких домов в мегаполисе — непременно находится наблюдатель за жизнью соседей и прохожих. Реми называл таких особей «консьерж», вне зависимости от пола. Да и то, во французском языке слово звучит одинаково — меняется только артикль перед ним, женский или мужской.

Настоящий консьерж наблюдает за передвижением жильцов и их гостей, потому что работа у него такая. Тогда как добровольный наблюдатель является «консьержем» исключительно в силу повышенного интереса к жизни за окном. Портрет его незамысловат: обычно человек ограниченный, без кругозора и образования, обладающий достаточным количеством свободного времени и не знающий, на что его потратить. В основном, конечно, время уходит на телевизор, но сериалы тоже приедаются, и «консьерж» принимается наблюдать за сериалами в реальной жизни. Такие свидетели — сущая находка при расследовании преступления: они буквально впитывают в себя фрагменты чужой жизни и потому помнят все, до мельчайшей детали: и как одет, и на чем приехал, и что сказал.

«Вот бы найти «консьержа»!» — помечтал Реми, двигаясь по тропинке к городку.

Первым делом он осмотрел ближайшую улочку: по логике, — если убийца ею обладал, конечно, — он поставил бы машину где-то тут, чтобы как можно меньше светиться со своей жертвой в людных местах.

Увы, своеобразный паркинг, — то есть относительно гладкая и ровная поляна у начала тропинки, ведущей в гору, где Реми оставил и свою машину (там сейчас стояли еще две), находился немного на отшибе. В лучшем случае он просматривался из окон ближайшего к нему дома. Но счастья попытать все же следовало.

Они нажали кнопку звонка на калитке. На крыльце показалась женщина с ребенком на руках. Реми объяснил причину своего визита.

— Ох, что вы, у меня нет времени глазеть в окно! Сын, сами видите, маленький, за ним глаз да глаз! Хотя, погодите, у домработницы спрошу!

Она исчезла в доме и вскоре вернулась со смуглой девушкой, чью национальность Реми затруднился бы определить.

— Я *работаю* у мадам, — воскликнула она обиженно, — а не в окна глазею!

Мадам рассмеялась.

— Ладно, Надин, ничего страшного, если ты в окно посмотришь! Скажи, если что-то видела.

Месье сыщик говорит, что его интересует время около четырех дня, вчера.

— А что случилось-то? — спросила домработница.

— Девушка утонула в озере... Не слышали? Похоже, она со скалы здесь упала.

— Ах, вот почему на нашей центральной площади жандармы! А я-то думаю, что такое...

— К вам не заходили?

— Нет, — ответила хозяйка. — Так если делом занимается жандармерия, то зачем вам?

— Меня нанял человек, который заинтересован в том, чтобы этот случай был прояснен как можно скорее.

— Интере-е-есно как! — Молодая мамаша даже тряхнула своего ребенка от избытка чувств. — Как же эта девушка могла со скалы упасть?

— Так ведь никому не пришло в голову огородить край барьером — вот и упала.

Реми не хотел вдаваться в подробности.

— Скажете тоже! Это же какие деньги, чтобы там ограду установить! И кто их должен дать, деньги? Мы, жители? А с какой стати, скажите на милость? Пусть министерство по туризму тратится! И вообще, я в первый раз слышу, чтобы кто-то тут упал со скалы. У нас здесь все нормальные люди, соблюдают осторожность...

— Так вы обратили внимание на машины вчера, Надин? — потерял терпение Реми.

— Видела. Но какие были в четыре, не знаю. Я ведь не специально смотрела, просто иногда взглядывала в окно... А смотреть у нас больше не на что, одни холмы кругом... В общем так: запомнила я «Меган» синий, «Ситроен», тоже синий, «Смарт» черно-белый... Хотя нет, «Смарт»

64 утром был... Еще машина какая-то иностранная, зеленая, большая...

— Иностранные номера? — перебил ее Реми.

— Нет, номера отсюда не видно, да и зачем мне? Просто она не французская, на высоких колесах, американская, наверное, или японская. Еще приезжала светлая, серебристая, не знаю, какой марки...

Расстроенный, Реми откланялся: от подобной информации толку мало.

Они забрали свой «Ленд Крузер» и покатили в сторону центральной площади: если жандармы еще там, то следует поделиться с ними информацией о следах на скале. Впрочем, учитывая их свинское поведение, Реми еще подумает, делиться или не делиться!

Однако на площади жандармов уже не оказалось. По оживлению, царившему в кафе, Реми сделал вывод, что они только-только уехали. Припарковав машину на боковой улочке, они с Ксюшей заняли столик под зонтиками на террасе и заказали оранжину[1] и кофе.

Как это свойственно южанам, люди вокруг разговаривали весьма громко, и Реми с Ксюшей прислушивались, надеясь уловить что-то важное.

— Да я ее тоже видел! — взмахнул рукой плотный чернявый мужчина в расстегнутой до середины волосатой груди клетчатой рубашке. — Только ты же в каждой бочке затычка, первым закричал!

_____

[1] О р а н ж и н а — газированный напиток на основе натурального апельсинового сока с мякотью.

— Так чего ты не дал показания? — насмешливо отозвался мужчина постарше, худой настолько, что под его желтой майкой можно было различить все ребра.

— Чтоб я вторым, после тебя? Чести много будет, Дидье!

Он опрокинул залпом бокал и тут же потянулся к «пише» — кувшинчику с дешевым бочковым вином, — который опорожнил, выцедив последние капли.

— Делать тебе нечего, как о моей чести беспокоиться! — презрительно дернул плечом худой и отвернулся от собеседника.

— Ты себя за кого принимаешь? — разъярился клетчатый. — Ты что мне тут доказать хочешь?

Женщина, сидящая рядом с ним, — жена, видимо, — потянула его за рубашку.

— Отстань! — рявкнул он. — Что он себе позволяет? Если он ветеринар, так может на меня свысока смотреть, что ли?

— Ничего себе, тут социальный конфликт намечается! — шепнула Ксюша с усмешкой.

— Как повсюду, — так же шепотом ответил ей Реми. — Но давай лучше помолчим, не то решат, что мы над ними смеемся...

Ссора грозила перерасти в серьезный конфликт, — хоть и, судя по всему, привычный, — но вмешались соседи по столикам. В результате увещеваний миротворцев Морис — так называли они клетчатого — оскорбленно вскочил, потянул жену за собой и покинул кафе, бормоча себе что-то под нос. Худосочный Дидье остался на месте, делая вид, что погружен в беседу с приятелем, но едва заметная улыбка выдавала его торжество: выжил-таки соперника с ринга!

Видимо, вражда этих мужчин была застарелой и широко известной в местных кругах.

— Реми, давай я, — прошептала Ксюша, — ладно?

И, не дожидаясь ответа от мужа, поднялась, направилась к столику Дидье.

— Добрый день! Скажите, вы случайно не об этой девушке говорили? — Она поднесла к его глазам телефон с фотографией незнакомки.

Реми напрягся. Сейчас на Ксению обрушатся грубости, и придется ее выручать... А дело будет испорчено!

— Возможно... — туманно ответил Дидье. — А почему вы интересуетесь?

— Видите ли... — Ксюша немного жеманно повела плечиком. — Я романы сочиняю... детективные, — застенчиво пояснила она. — А тут вдруг такое происшествие! Утопленницу нашли! Я сразу подумала, что нужно написать об этом роман! И вот пытаюсь что-то разузнать об этом событии по горячим следам... Кто она, не знаете?

— И твой парень тебе позволяет? — кивнул в сторону Реми Дидье.

Реми ему подмигнул.

— Ага, чем бы милая ни тешилась, — хмыкнул Дидье, чувствуя внимание к себе завсегдатаев кафе, и широко улыбнулся. — Ну, красавица, я жандармерии уже показания дал, теперь тебе, писательница, дам! Только не забудь мне книжку прислать в подарок, с автографом!

«Уфф», — облегченно выдохнул Реми. Только сейчас он понял Ксюшин финт: она была уверена, что сработает мужская реакция на ее прехорошенькую внешность, и не ошиблась.

— Обязательно! — кивнула Ксюша. — Напишите ваш адрес!

И она, покопавшись в сумочке, вытащила ручку и блокнот.

Дидье бисерным почерком набросал строчку и вернул блокнот Ксюше.

— В общем, так. Она сидела вон там, — он указал рукой на самый крайний столик. — Недолго, минуты три. Официант к ней подошел, она заказала кофе. Только ей принесли, как подкатила машина, «Пежо-307», темно-синий. Дверь приоткрылась, и водитель позвал ее. Сказал буквально вот что: «Вы Ирэн? Я за вами!» Она кофе даже пригубить не успела. Бросила несколько монет на стол, села в машину, и они уехали.

— Куда?

— Куда, мне неведомо, а поехали они в эту сторону, — махнул он рукой в направлении центральной дороги, пересекавшей городок насквозь, по которой и Ксюша с Реми приехали.

Однако с нее можно было свернуть где угодно, приткнуть машину и пойти пешком к скалам...

— Мужчину, который был за рулем, вы разглядели?

— Не буду врать, я же не Морис... — презрительно хохотнул Дидье. — Не видел. Водитель только приоткрыл дверцу, не выходил.

— Номера машины не запомнили?

— Смотри, какая шустрая! Начинающая писательница, а прямо как в сериале про Наварро! Молодец, грамотная, далеко пойдешь!

Ксюша улыбнулась, изобразив польщенный вид.

— Так номер...

— Да нет, на кой мне? Знал бы я, что та блондинка в озеро упадет, то запомнил бы, конечно... Одно скажу: местный. Я только на номер департамента посмотрел: наш, 06.

— Может, вы знаете, у кого есть такая модель «Пежо»? Город у вас небольшой, и, наверное, все друг с другом знакомы... А?

В кафе повисла тишина, и в ней ощутимо, будто холодным ветерком, повеяло отчуждением, если не сказать враждебностью.

Неожиданно кто-то отозвался из угла:

— Никто тебе не скажет этого, глупенькая!

Голос был женским, низким. Столик, от которого он шел, находился на границе помещения кафе и террасы, в густой тени навеса, и Ксюша, стоявшая под ярким солнцем, не сразу разглядела, кому он принадлежал.

— Я сказала что-то... что-то не так?

Ксюша растерялась. Впрочем, правильнее было бы сказать, что она не стала скрывать свою растерянность. Реми за несколько лет совместной жизни успел неплохо изучить свою женушку и отлично знал, что Ксения была в чем-то наивна, но при этом весьма смекалиста; она до сих пор казалась маленькой девочкой — умненькой, любознательной и очень непосредственной, — но при этом весьма неплохо владела собой. И, хорошо чувствуя ситуацию и людей, она знала, когда нужно показать свои эмоции, а когда их лучше спрятать. Вот и сейчас Ксюша решила свою растерянность не скрывать. Она ею не играла — она просто ее показала.

И не зря.

— Конечно, детка, — голос женщины смягчился.

Реми немного привстал, чтобы увидеть обладательницу низкого голоса, но тоже не сумел разглядеть ее в тени.

В кафе по-прежнему царила тишина, но теперь ее было бы уместно назвать почтительной.

Ксюша, чуть подумав, направилась в сторону женщины.

— Позвольте присесть? — донеслось до Реми.

— Садись, стулья не являются моей частной собственностью, — услышал он ответ. — А ты там что скачешь, парень? Иди сюда тоже. А то испугался небось, что я твою девушку съем!

— Это моя жена, — сообщил тени Реми, направляясь вслед за Ксюшей.

По кафе пронесся одобрительный мужской гул.

— С акцентом говорит твоя жена, — продолжала женщина. — Русская?

Теперь Реми сумел ее увидеть: полная дама лет под шестьдесят, ухоженная, хотя одетая с той артистической небрежностью, которая свойственна богеме. На ее красивом лице царило выражение незлой иронии, которое нередко присуще людям умным и интеллигентным.

— Русская, — согласился Реми.

— Так вот, утопленница тоже из России.

— Откуда вы знаете? — Реми не стал разочаровывать их необычную собеседницу и говорить, что они и сами об этом догадались.

— А что тут знать? Я в модельном агентстве работаю, всех уже изучила, у нас уйма девушек из Восточной Европы, а русских больше всего...

70 Вы сами-то, месье, из Парижа? У вас произношение столичное.

Делать было нечего, и Реми признался в этом, почти как в грехе.

— Да не бойся, я сама из Парижа. У меня тут дом, в отпуск приезжаю... Ты в самом деле думаешь, что тут на парижан с булыжниками кидаются, что ли?

По кафе пробежали почтительные смешки. Дама здесь пользовалась явным авторитетом.

— В общем, так, — продолжила она, — Ирэн — это Ирина. В наших местах русских не водится, — они все поближе к Лазурному Берегу. Чтобы в твоем романе, деточка, — повернулась она к Ксюше, — возникло что-нибудь посущественнее, чем красотка-утопленница, вам нужно туда отправляться. Если повезет, то найдете какую-нибудь компанию, в которой знают эту Ирину... Они приезжают парами или компаниями, да будет вам известно. Хотя раз ты русская, то знаешь.

— Не знаю, — помотала головой Ксюша. — Я тут, во Франции, замужем, за Реми. Я сюда не приезжаю с компаниями!

Женщина улыбнулась.

— А насчет машины никто тебе не скажет, и не надейся. Здесь, как ты изволила заметить, городок маленький, все друг с другом знакомы, и на соседей бросать подозрения никто не станет. По крайней мере, прилюдно. Поняла?

Ксюша кивнула, она поняла: прилюдно — не станут, но могут потом в жандармерию позвонить... Анонимно, например.

— Жандармам сказали то же самое, что и тебе, и теперь они станут искать по базе данных, у

кого тут такая тачка... Попробуй к ним сунуться, — может, они окажутся благосклонны к твоей хорошенькой мордашке и будущему шедев-
ру! — усмехнулась дама.

— Спасибо за совет, — пролепетала Ксюша.

— Мартин меня зовут. Держите визитку, на
случай чего. Удачи вам, молодые люди.

Ксюша приняла маленький кусочек картона
с благодарностью и поднялась, Реми вслед за
нею.

— Может, кто-нибудь еще что-то заметил? —
Ксюша обвела глазами столики.

Никто не ответил.

Они уже отошли от площади, направляясь к
своей машине, как вдруг Реми остановился.

— На чем Ирина приехала? Она ведь на чем-
то сюда добралась! Ксенья, возвращаемся. Спроси, раз уж взяла на себя роль сыщицы: не обратил ли кто внимание, каким образом Ирэн появилась за столиком этого кафе!

Мужчины встретили их возвращение любо-
пытными взглядами.

— Я забыла задать очень важный вопрос... —
смущенно проговорила Ксюша. — На чем сюда
Ирэн приехала? Кто-нибудь заметил?

— Гляди-ка, — отозвался Дидье, — сообразила! Ну что, скажем ей, мужики?

Ксении ответили не сразу. Люди наслаждá-
лись собственной важностью, даже, пожалуй,
властью над юной писательницей. Что им было
втройне приятно, с учетом ее хорошенькой на-
ивной внешности.

Мартин поднялась из-за своего столика, рас-
платившись, и подошла к ним.

— Я не видела, а то бы непременно сказала! — громко произнесла она и, не обернувшись на завсегдатаев кафе (которым ее фраза и предназначалась), миновала фонтан и свернула на одну из улочек.

— Ладно, — произнес один чуть смущенно, — приехала она на такси. С номерами Ниццы.

Они молча вернулись к машине. Реми никак не мог сообразить, что теперь делать. Ехать в Ниццу и обходить там всех русских с фотографией Ирины? Успех равен нахождению иголки в стоге сена. Русских в Ницце нынче едва ли не больше, чем французов... Искать такси, привезшее Ирину в кафе? Это не под силу частному детективу. Вот если его найдет жандармерия, а Брюно, расторопный хозяин озерного курорта, сумеет эту информацию получить...

— Мужчина, который забрал Ирину из кафе, хорошо знает эти места: он отлично представлял, куда ее вел... — проговорила задумчиво Ксюша.

— Без сомнения. Он не просто из этого департамента, о чем говорит номер его машины, но из ближайших к озеру поселений.

— Может, нам и впрямь в жандармерию попробовать сунуться?

— Рано. Таких машин тут не один десяток, модель распространенная. Даже если нам дадут список ради твоих прелестных глаз, то стоит ли нам объезжать всех обладателей «Пежо»?

— А что же мы будем делать?

— Думать, дорогая моя детективщица! Начнем с вопроса: зачем? Чем насолила ему Ирина? Любовница, от которой он решил избавиться?

— Реми, ну какая же она любовница, если этот тип спросил ее: «Вы Ирэн?» Любовницу-то он уж как-нибудь запомнил бы в лицо!

— Верно, мадемуазель Марпл!

Ксюша сердито посмотрела на мужа. Ишь, чего придумал! После того как она обиделась на «старушку», он принялся называть ее мадемуазель... Марпл! Очень остроумно, обхохочешься!

— Он ее тут встречал, — не заметив хмурого выражения лица жены, продолжал Реми. — Как на вокзале встречают незнакомых. То есть он ее раньше не видел!

— Значит, она приехала к кому-то другому... А он вызвался ее доставить по назначению...

— И убил по дороге! — подытожил Реми. — Давай прикинем, какие могут быть ситуации в данном раскладе, чисто с психологической точки зрения. Вариант первый: у него есть сын, который хотел жениться на Ирине. А этот тип решил не допустить их брака по каким-то причинам...

— Идет, — согласилась Ксюша, уже забыв об обиде. — Вариант номер два: он открыл, что его жена лесбиянка и влюбилась в эту Ирину...

— Ну ты даешь!

— А почему нет? Жена выдавала ее за подругу, но муж каким-то образом прознал... и решил избавиться от соперницы. Вызвался ее встретить и убил по дороге!

— В принципе исключить нельзя... Вот уж точно, у тебя воображение — только романы и писать! А у меня есть вариант три: она могла быть шантажисткой. Они переписывались через Интернет, он назначил ей встречу для передачи денег и убил.

— Не годится, Ремиша, — покачала головой Ксюша.

— Почему это?

— Девушка по-французски писать не умеет, раз даже название города русскими буквами изобразила. Какая уж тут переписка через Интернет!

— А если мужик этот русский знает? Или они на английском общались?

— Что-то мне не верится. Что она могла знать о человеке, живущем в такой глуши?

— А если он в Россию ездил? И там что-то натворил?

— Хм... Ну ладно, — согласилась Ксюша. — Так с чего же нам все-таки начать? Кого искать будем: хозяина машины или людей, которые знают Ирину?

— Что-то я проголодался... Давай начнем с обеда, а?

При этих словах Ксюша внезапно ощутила сильнейший голод, даже голова закружилась.

— И поскорее! — воскликнула она.

Реми предложил вернуться на площадь и пообедать в том кафе, где они опрашивали местных жителей, но эта мысль Ксюше не приглянулась: в компании местных мужчин, которых она только что расспрашивала, ей было бы неуютно. До соседнего городка было всего двадцать восемь километров, — они посмотрели по карте, — а рестораны есть повсюду, даже в самом крошечном поселении!

Вскоре они приземлились на плетеные стулья в живописном дворике под крышей из дикого винограда, что ностальгически напомнило Ксюше Кавказ, — родители часто возили ее на Черное море в те времена, когда не стоял вопрос, где чья территория...

Они заказали салаты из свежих овощей, террин из зайца, а на горячее выбрали «мясо на камне». Реми со знанием дела поджаривал на прямоугольном раскаленном камне, который поставили на их стол, тончайшие ломтики мяса, маринованные в оливковом масле с травами Прованса, а Ксюша их немедленно съедала.

— Эй, ты бы сбавила обороты! Я не успеваю жарить!

— Они же как папиросная бумага, — виновато пробормотала Ксюша, заправив в рот очередной душистый ломтик.

Когда обед, под их шутливые препирательства, подошел к концу, ей вдруг страшно захотелось спать. И то, встали они сегодня в рань раннюю, торопясь попасть на свидание к Царице озера, и теперь ее организм затребовал недостающую порцию сна. Реми тоже не возражал бы поспать — проблема заключалась в том, что с гостиницей, где они провели предыдущую ночь, они уже рассчитались, а брать номер в другой ради пары часиков было неразумно.

— Поспи в машине, — предложил Реми, откидывая спинку ее кресла.

— А ты? — сонно пролепетала Ксения.

— Найду, куда тачку приткнуть, и тоже посплю малость. В таком состоянии опасно рулить, тем более по горным дорогам.

Когда он нашел лавандовое поле, лиловой волной сбегавшее по пологому склону, и остановил машину на его краю, жена даже не проснулась. Реми выключил кондиционер, опустил стекла, чтобы в машину лился свежий лавандовый дух, и, послушав несколько минут звучный галдеж пчел над полем, заснул, положив руку на Ксюшу.

...Она проснулась первой. Сладко потянулась, обнаружила руку мужа на своем животе и, не задумываясь, переложила себе на грудь. Рука поняла, что ей делать, раньше, чем ее хозяин открыл глаза.

...Спустя час, когда они, разгоряченные и разрумянившиеся от недавней близости, принялись одеваться, Ксюша спросила:

— Куда теперь, Ремиша? Что делать будем?

— Не знаю...

Он и в самом деле не знал. И ему было неловко в этом признаваться.

Они привели одежду в порядок и еще некоторое время сидели в машине, пытаясь что-то придумать.

— Давай тогда поедем в Ниццу... — произнесла Ксюша. — Вдруг нам повезет и мы сразу наткнемся на людей, которые знали Ирину?

Реми очень хотелось блеснуть какой-нибудь гениальной мыслью, но таковые в голову не приходили. Все, что им было известно о человеке, приехавшем за Ирэн, — это марка его машины. Искать ее по местным городкам — дело не только безнадежное, но и откровенно бессмысленное: она стоит уже в чьем-то гараже или хотя бы на участке виллы, а виллы эти усыпали холмы и склоны, насколько хватает глаз, словно горы кто-то посолил крупной солью. Об Ирэн они знают чуть больше: такси привезло ее из Ниццы (впрочем, не факт: если она остановилась в какой-то деревне, то такси все равно бы пришло за ней из Ниццы — в деревушках нет своих таксопарков, понятное дело!). Плюс ее фотография у него в мобильном... Вот и все.

То есть тупик.

— Хорошо, — согласился он. — Попробуем. И к слову, надо гостиницу на ночь найти. В Ницце наверняка мест нет в разгар сезона, да и цены там нечеловеческие... Так что где-нибудь на окраине надо будет поискать.

«Нечеловеческие цены» оказались не только в Ницце, но и вокруг нее. Когда они наконец подыскали себе гостиницу, наступил вечер...

Ужинать они отправились в город. Обошли несколько ресторанов в наиболее оживленных местах (перед тем как приземлиться в одном из них), и повсюду Ксюша, заслышав русскую речь, показывала фотографию Ирины...

Но никто ее не узнал.

Поздним вечером, когда они, удрученные, вернулись в гостиницу, позвонил Брюно. «У жандармов пока ничего, — сообщил он. — Водолазы сумку девушки не нашли. Личность ее не установили. Ищут какую-то машину, вроде нашлись свидетели, видевшие, на чем она уехала из Виллыарда, но результатов еще нет... Говорят, что пока тупик. А у вас что, господин детектив?»

Пришлось Реми признаться, что у него тоже тупик.

Ксюша, посмотрев на расстроенное лицо мужа, подсела к нему, обняла.

— Знаешь, когда я читаю детективы, там все так стройно получается... Меня это всегда завораживало: совершено преступление, и, казалось бы, никакой зацепки! Но потихоньку все как-то начинает раскручиваться: там свидетель подвернется, там случай поможет, — и все так ладненько складывается: раз-раз — и преступника находят!

— В детективах, милая моя Ксю, случай сыщику подбрасывает автор! Это в его воле! А жизнь не так щедра на подарки, мон кёр[1]...

— Не расстраивайся, Ремиша... Завтра жизнь может оказаться добрее! Давай-ка спать. Как говорят у нас в России, утро вечера мудренее!

— У нас во Франции тоже так говорят...

* * *

Эту ночь Лиза спала крепко. После операции ее разбудили, привели в чувство, затем перевезли в палату, установили капельницу и пожелали доброй ночи.

Доброй ли она была, Лиза не знала: она тут же снова погрузилась в сон и спала крепко, без сновидений. Закончилась ее ночь далеко за полдень.

В окошке яростно полыхало солнце. Недалеко от Лизы обнаружилась вторая кровать — на ней постанывала в забытьи женщина с бледным и больным лицом. Никого другого в палате не было.

Через полчаса ей принесли завтрак, хотя время было обеденное, — кофе, йогурт, сухие хлебцы, джем и масло. Она уселась на кровати, по-

---

[1] Мое сердечко.

вернула столик к себе и принялась есть. Ей казалось, что никогда в жизни она не ела с таким аппетитом!

Потом она снова задремала, а когда проснулась, увидела доктора Лорана.

— Похоже, ты чувствуешь себя лучше?! — полувопросительно произнес он.

— Лучше, — согласилась она.

— А как с памятью? Что-нибудь вспомнила?

Она помнила, — о, да! — как убила мужичка в домике в горах! Но... Больше ничего.

Однако этим воспоминанием она делиться ни с кем не собиралась.

— Нет...

Лоран посидел, — ей казалось, что исключительно из вежливости, — «благотворительность», она не забыла! — и вскоре ушел, пообещав навестить ее завтра.

Ну что ж... Завтра Лиза тоже *не вспомнит*, как убила человека, — пусть и не надеется!

Среда

«Утро вечера мудренее» — хорошая поговорка!

Утром позвонил Брюно с новостями: в полицию Ниццы обратился молодой человек с заявлением о пропаже своей подружки. Она уехала позавчера в горы, в какую-то деревню, — название он не знает, увы, — чтобы навестить кузину. Обещала вернуться к вечеру, но не вернулась ни вечером, ни на следующий день. И телефон ее не отвечает. Сегодня молодой человек не на шутку заволновался и решил с утра пораньше обратиться в полицию, принес фотографию девушки...

По трудно объяснимым причинам и полиция, и жандармерия во Франции занимаются криминальными происшествиями, с той лишь разницей, что на юге, особенно за пределами крупных городов, ими занимаются обычно жандармы. Посему полиция Ниццы передала информацию жандармам, а те сравнили фотографию, принесенную молодым человеком, со снимком утопленницы...

Ирина Платонова — так звали погибшую.

— Она из России! Вы запишите, — волновался Брюно, — ее данные... А то в жандармерии мне сказали, что у этого парня алиби, так что они будут шерстить всех их знакомых тут, а насчет *кузины* будут запрашивать Россию, а это дело долгое... У меня здесь любопытных навалом, но только единицы берут лодки и велосипеды напрокат — боятся Царицы! Сплошные убытки, — пожаловался он. — Если мы не убедим людей, что никакой мистики тут нет, то весь сезон пойдет насмарку!

Реми отлично понимал, о чем речь: курортные места живут «сезонами», за которые зарабатывают достаточно большие деньги, чтобы благополучно прожить зиму и дотянуть до следующего.

— Может, у вас найдутся свои каналы, а? — с надеждой спрашивал Брюно. — У вас ведь жена русская, может, быстрее жандармов обернетесь, а?

Реми записал сведения об Ирине Платоновой и обнадежил Брюно, туманно намекнув, что *каналы* у него есть.

Каналы у него и в самом деле имелись. Русский частный детектив Алексей Кисанов, с которым случалось ему иногда сотрудничать, приходился ему не только коллегой и другом, но и почти родственником: он был женат на старшей сестре Ксении, Александре.

— Видишь, жизнь тоже бывает благосклонна к сыщикам, не только писатели! — возликовала Ксюша, услышав пересказ телефонного разговора. — Давай звонить Алеше!

— *Давай-давай*, — ответил по-русски Реми. Ему очень нравилось это словечко «давай!». Энергичное такое словечко.

Во Франции было десять утра, в России уже полдень. Значит, Реми никого не разбудит, что хорошо: у Алексея с Александрой дети маленькие.

Он застал Алексея в бюро. Коротко и четко изложил суть дела.

— Пиши, Кис...

Так называли Алексея Кисанова близкие друзья — Кис. Реми продиктовал те данные, которые сообщил ему Брюно.

— Твоя цель — разузнать максимум о кузине, которую Ирина ездила навестить. Вернее, уехала... И не вернулась.

— Эта Ирина не москвичка, — отозвался Алексей, перечитав записанное (то, что продиктовал ему Реми со слов Брюно). — Что несколько усложняет дело.

— Город Во-лог-да, — произнес по слогам Реми, глядя в свой листок, — он далеко от Москвы?

— Не очень.

— Насколько усложняет дело?

— На несколько лишних часов, — усмехнулся Кис.

Необходимость искать знакомых Ирины по всей Ницце отпала. Реми с Ксюшей, в ожидании сведений от Киса, отправились на пляж: быть на море и не искупаться? Такое невозможно! Тем более что у них на самом деле сейчас был отпуск, каникулы, и собирались они его провести на Лазурном Берегу, переезжая из одного города в другой, — там есть на что полюбоваться!

Но ни Ксюша, ни Реми не жалели о том, что выпала им вместо отдыха работа: Реми к таким поворотам привык и всегда был к ним готов, а Ксюша... Ксюша обожала приключения!

Кис позвонил во второй половине дня.

— У Ирины Платоновой есть двоюродная сестра, то бишь кузина... Ты пишешь?

— Запоминаю.

— Лучше запиши, тут информации многовато... Зовут ее Елизавета, Лиза. Фамилия Чеботарева. Двадцати четырех лет. Она москвичка, студентка факультета журналистики МГУ, Московского государственного университета. Это серьезное заведение, к твоему сведению.

— Я наслышан, — сообщил Реми.

— Тем лучше. Лиза Чеботарева оформила после летней сессии академический отпуск в связи с беременностью. Не замужем, об отце ребенка, соответственно, официальных сведений нет. Когда родит, то, возможно, запишет его имя в гра-

фе «отец». А может, поставит прочерк... Живет с
матерью. С ней я уже говорил по телефону, —
по ее словам, Лиза улетела три недели назад в
Италию к каким-то друзьям.

— В Италию?!

— Так сказала ее мать. Я сейчас еду к ней,
постараюсь узнать подробнее... Жди звонка!

И Кис отключился.

«Не понимаю, ничего не понимаю... — пробормотал Реми. — Если Лиза улетела в Италию,
то почему Ирэн ехала навестить ее в Вилльгард?
Наверное, у этой Ирэн есть другая кузина, Кис
просто не все сведения выловил!»

Ксюша, внимательно следившая за разгово-
ром, но не много из него понявшая, попыталась
было расспросить мужа... Но Реми снова схва-
тился за телефон.

— Кис, не может такого быть! У Ирэн...
должна быть кузина, которая поехала во Францию!

— Нет у нее другой. Реми, не дергайся и ме-
ня не дергай! Я к Лизиной матери подъезжаю.
Постараюсь разузнать подробнее и фотографию
Лизы тебе переслать.

Ксюша, услышав наконец пересказ информации, которую Реми получил от Алексея, задумалась.

— Озадачила меня Италия... — произнесла
она наконец.

— Меня тоже. Но Кис утверждает, что ошиб-
ки нет.

— Может, Лиза летела во Францию *через*

Италию? Билеты с пересадкой стоят значительно дешевле...

— Но тогда Кис бы знал!

— В таком случае почему Ирина собиралась ее навестить где-то здесь, в предгорьях Альп?

— И почему Лиза не сообщила в полицию, раз сестра до нее не добралась? — добавил Реми. — Ирина, по словам ее приятеля, уехала в горы позавчера. Около трех дня она была еще жива, о чем свидетели, видевшие ее в кафе, и сообщили. Но ее позавчера же утопили, в районе половины пятого... Получается, что Лиза уже два дня не может дождаться сестру, но при этом не поднимает тревогу!

— А если это она столкнула кузину в озеро? Тогда ей нет никакого смысла заявлять в полицию!

— Нет, Ксю, нам ведь в городке ясно сказали: за Ириной приехал мужчина на «Пежо»!

— А если он сообщник Лизы?

Реми подумал. В самом деле, исключить такого нельзя. У этой Лизы мог здесь, во Франции, — точнее, в предгорьях Альп, — оказаться любовник, а то и отец ее ребенка... Зачем ей понадобилось избавляться от кузины, это другой вопрос. Сейчас главное — установить преступника, а там, глядишь, и мотив преступления обнаружится...

С другой стороны, если Лиза, как ее там, — Реми сверился за бумажкой, — Чеботарева, запланировала убийство своей кузины заранее, то могла специально взять билеты в Италию: конспирировалась. Любовник встретил ее там на машине. Италия, она же рядом, через границу, рукой подать! Он ввез Лизу к себе шито-крыто...

Она позвала кузину в гости... И избавилась от нее!

Он поделился своими соображениями с Ксюшей. Та удивилась.

— Надо же! А я придумала еще одну версию, только совсем другую!

— Горю от нетерпения ее услышать, — улыбнулся Реми чуть иронично: фантазия у его женушки богатая, но по части логики... Нет, не то чтоб Реми отказывал ей в логике, в обычной жизни Ксения была вполне сообразительна, — но тут ведь не обычная жизнь, тут преступление и следствие! Как там управляется жена в своем романе, он не знал: она пишет по-русски, скудных знаний Реми недостанет, чтобы осилить даже первый абзац. Зато по части раскрытия преступлений он имел многолетний опыт, мозги привыкли складывать пазл на автопилоте! Чего никак не скажешь о Ксюше...

— Я подумала: а что, если... Помнишь, ты сказал, что мужчина, который приехал за Ириной в кафе, должен жить в одном из ближайших городков? Потому что он отлично знает местность?

— Ну...

— То есть ты предположил, что он живет где-то близко... но не в Вилльгарде!

— Так понятно же, он не мог ей свидание в своем городе назначить, где его каждая собака знает!

— Вот Италия так же.

— То есть?..

— Он страхуется, этот тип. Смотри: Ирина поехала навестить Лизу в горы. Значит, она знала, что Лиза остановилась где-то в этих местах.

86   При этом Лиза улетела из Москвы в Италию.
Следовательно, этот тип пригласил к себе Лизу,
но предложил ей под каким-то предлогом прилететь в Италию: так нигде не будет зафиксиро-
вано, что Лиза пересекла границу Франции.
Только...

Ксюша глубоко вздохнула, словно собиралась
прыгнуть в воду. Реми не стал ее торопить. Он
уже догадался, что она придумала.

— Только, — вновь заговорила она, — этот
человек мог убить Лизу по каким-то причинам.
А к ней как раз надумала приехать кузина... Но
он не мог предъявить Ирине двоюродную сестру, вот в чем дело! И солгать тоже, видимо, не
мог: Ирина знала, где остановилась Лиза, они
ведь договорились о встрече! Ирина бы сильно
насторожилась, тем более что Лизин телефон
больше не отвечает... Она могла бы заявить в полицию! И этот человек вызвался встретить Ирину в кафе с тем, чтобы (якобы) привезти к Лизе.
А по дороге предложил ей посмотреть местную
достопримечательность: озеро Царицы... И убил
ее тоже!

— Согласен, — кивнул Реми. — Твоя версия
имеет право на существование. Молодчина.

— Твоя тоже, — любезно признала Ксюша.

— В любом раскладе нам необходимо найти
человека, к которому приехала Лиза! Только через него мы сможем установить, что произошло
на самом деле!

— Но как?!

— Мы ждем информации от Киса, ты не забыла? Надеюсь, он найдет факты, за которые
можно будет уцепиться...

— А если я права, и Лизы уже нет в живых?

Лизы и ее ребенка... Кис ведь сказал: она беременна!

— Не гони лошадей. Посмотрим.

Они умолкли. Ксюше вдруг расхотелось заниматься этим делом. В книгах все не так — в них историю всегда венчает хеппи-энд. Это обязательно, детективу никак нельзя без счастливой развязки, где преступник найден, а жертва спасена! Да только в книге сюжетом управляет автор, а в реальной жизни... Она никому не подвластна. В ней погибают хорошие люди, тогда как плохие выкручиваются, и даже наказание им не грозит! Где, спрашивается, искать того типа?!

— Реми! — вдруг произнесла Ксюша. — Реми, слушай, совсем необязательно, что Лиза убийца или что ее убили! Ее могут держать в плену, взаперти... Например, маньяк какой-нибудь! Ведь нередко случается, что маньяк заманивает к себе девушку и запирает ее... Иногда на долгие годы! Но при этом она жива, слышишь?

— Я плохо представляю себе маньяка, который запал бы на беременную женщину.

— Реми, подожди, не говори так... У них же, больных на голову, разные идеи бывают... А вдруг он как раз хотел, чтобы у него появились одновременно и жена, и ребенок? Или у нее еще ранний срок, и посторонние о ее беременности не догадываются?..

— Все может быть, — туманно ответил Реми.

Воображение Ксюши его одновременно восхищало и дезориентировало. Как любой сыщик, частный или официальный, он основывался на фактах, шел по их знакам, по их осколкам и щепочкам, оставленным преступником вокруг злодеяния. Мотив же фактом не являлся: весьма часто он обнаруживался лишь в конце расследования, когда преступник начинал давать показания.

Разумеется, предположение о мотивах могло направить на нужный след. Но Ксюша обрушила на его голову такое количество возможных вариантов (при отсутствии фактов!), что Реми ощутил легкий приступ головной боли. У нее, без сомнения, есть литературный дар, но...

Но в реальной жизни, в реальном — а не литературном! — преступлении и расследовании оного столь яркое воображение становилось врагом. Когда версий слишком много, то, считай, нет ни одной! Хуже того, такой чисто умственный, абстрактный, литературный подход заглушал интуицию! Вот чего не понимала его жена...

Говорить об этом Ксюше он не стал. Она впервые участвует в следствии, причем с таким упоением, что разочаровывать ее было бы просто свинством с его стороны.

Кроме того, истины, изрекаемые в виде сентенций, ничему не учат. Только опыт, только он способен научить! Если все сложится удачно в этом деле, то Ксюша сама увидит, сама поймет, насколько бессмысленно множить «теории» в отсутствие фактов.

Лишь одна ее гипотеза была ценной: Ирину устранили потому, что Лизы больше нет в живых.

Но это тоже только *гипотеза*.

Загорать и купаться больше не хотелось. Они собрали пляжные сумки и пошли бродить по городу. Ксюша в Ницце бывала не раз, так что осматривать достопримечательности не тянуло, тем более что город ей не особо приглянулся. Но нужно было чем-то занять время в ожидании звонка Алексея, и они слонялись по улицам безо всякой цели, присаживаясь иногда в кафе по пути — там кофе выпить, там мороженое съесть...

Наконец Кис позвонил. Реми долго слушал рассказ Алексея, что-то записывал, а потом принялся излагать факты Ксюше. Странные факты, прямо скажем!

...Мать Лизы показалась Алексею значительно старше, чем он ожидал. Хотя дело могло быть не в возрасте: потухший взгляд выдавал привычную усталость и то безразличие, которое нередко является результатом хронической депрессии. То ли жизнь совсем не баловала эту женщину, то ли характер у нее безрадостный.

— Я детектив Алексей Кисанов, я вам звонил час назад.

Женщина кивнула и отступила, открывая перед ним дверь.

— Что за срочность такая, раз вам с Лизой связаться понадобилось?

Алексей удивился: мать не забеспокоилась, не вскинулась с вопросом «Что с моей дочкой случилось?»

— Как я понимаю, отношения с дочерью у вас неблизкие, — предположил он, оглядывая бедную двухкомнатную квартиру по дороге на кухню, куда вела его хозяйка.

— Как же не близкие, в одной квартире живем, куда уж ближе! — усмехнулась она, обернувшись.

Алексей ощутил запах алкоголя. Следов хронического алкоголизма на ее лице не наблюдалось, — стало быть, Галина Мироновна попивает от случая к случаю. Но случаи эти не так уж редки, без сомнения. Это объясняло то впечатление, которое произвела на Алексея ее депрессивная внешность.

— Однако вы не знаете, к кому Лиза уехала...

Женщина села за кухонный столик, сделала жест незваному гостю: садитесь, мол. Алексей устроился напротив.

— Взрослая она девица, самостоятельная. Куда пошла-поехала — мне не докладывает. Со мной ни в чем не советуется. Ребенка рожать вот без мужа вздумала, а у нас ни места нет, ни денег! Сама безотцовщина, неужто мало ей?

Говорила женщина напористо, с неостывшим в голосе осуждением, — видимо, часто ссорились мать с дочерью... Немудрено, что Лиза при первой же возможности смылась — отправилась в гости к кому-то во Францию!

— Простите мне нескромный вопрос... Лизин отец, он?..

Кис не стал договаривать фразу, предоставив женщине ее закончить.

— Он — скот! Бросил меня, как узнал, что беременна, — поджала она губы. — Так он хоть *бросил*, я ничего не могла сделать, не за штанины же его было хватать! А Лизка, она *сама* не хочет замуж! От сокурсника залетела, он даже жениться предлагал, так нет же, она хочет ребенка оставить и при этом поджидать великой любви!

Парня этого она, видите ли, не любит! А с ребенком в подоле найдет, конечно ж! — ехидно проговорила Лизина мать.

Местами лавируя, местами неопределенно соглашаясь, дабы не вызвать гнев Галины Мироновны, Кис в конце концов сумел получить информацию, которая показалась ему весьма любопытной.

Итак, Лиза, будучи на седьмом месяце беременности, сдала сессию за последний курс не полностью и принялась оформлять академический отпуск. Отец ее ребенка Галине Мироновне не известен, хотя не лично: Лизин сокурсник и приятель. Лиза вроде бы была в него влюблена, но очень скоро пришла к выводу, что лучший «формат» для их отношений — это дружба. Замуж за него Лиза выходить отказалась наотрез, однако беременность решила сохранить. Не столько из жажды иметь ребенка, сколько из соображений, что аборт может сказаться на ее здоровье и способности к деторождению в будущем.

Мать решение Лизы приняла в штыки: отчасти из-за беспокойства за судьбу дочери, отчасти из-за финансовых трудностей. Жили они более чем скромно: Галина Мироновна трудилась на швейной фабрике с зарплатой в десять тысяч рублей, Лиза получала крошечную стипендию, которая, ввиду ее «академки», должна и вовсе исчезнуть. Правда, была у них квартира покойной бабушки, которую они сдавали, получая за нее двадцать тысяч. Но интересный нюанс: бабушка Лизы приходилась бабушкой и ее двоюродной сестре Ирине. В силу чего наследство принадлежало обеим внучкам (так завещала бабушка), а доход от сдачи квартиры делился поровну между кузинами. Итого, Лиза с матерью вдвоем жили на двадцать тысяч рублей (зарплата Галины Мироновны плюс половина от сдачи квартиры), а в перспективе эту сумму предстояло делить не на двоих, а на троих, с учетом грядущего младенца. Выходили совсем крохи...

Сдачей бабушкиной квартиры занималась Лиза. Когда жильцы неожиданно съехали, Лиза дала объявление в газету. Откликнулся на него какой-то агент по недвижимости, предложивший сдать квартиру иностранцам, французам. За это денег обещали в два раза больше, с условием, что Лиза будет заодно служить гидом своим постояльцам. Так что Лиза с ними две недели «валандалась», как выразилась Галина Мироновна, — возила их по всяким московским достопримечательностям. Дочка была рада: она французский в университете учила и сочла, что, помимо денег, выйдет ей еще и практика в языке.

А по окончании пребывания эти люди — семейная пара, по словам Лизы (Галина Мироновна их не видела ни разу), — уговорили Лизу поехать за границу, отдохнуть.

— Но вы сказали, что Лиза отправилась в Италию? — вопрошал Кис. — А постояльцы ее французы... Они не к себе пригласили Лизу? Ведь, как я понял, у вас туговато с деньгами. Одно дело, если эти французы пригласили вашу дочь погостить у них. И совсем другое, если Лиза полетела на свои средства в Италию! Билеты, гостиница, питание... Это стоит немалых денег.

— Я с Лизкиных слов знаю... Она говорила —

французы. А почему в Италию... не знаю я. Как-то не задумалась... и не спросила дочь.

Понятно. Отношения матери с дочерью были весьма прохладными, если не сказать — конфликтными. Посему со стороны дочери доверительности не имеется, а со стороны матери имеется «принципиальное» безразличие, вызванное конфронтацией взглядов... Не слушаешь, мол, меня, поступаешь по-своему — так я устраняюсь...

О-хо-хо, как же люди умеют испортить себе жизнь! Себе и заодно близким — вот в чем беда. Да плюс алкоголь, который изрядно мешает умственной деятельности.

Галина Мироновна, будто почуяв мысли детектива, вдруг встрепенулась.

— А что такое... А почему вы спрашиваете? Неужто с Лизой что?..

Наконец-то! Кис уж начал было думать, что маменька совсем непробиваемая.

— Пока нет, — суховато ответил Кис. — Пока что беда приключилась с Ириной, Лизиной двоюродной сестрой.

— С Иркой? Господи боже мой, что с этой лахудрой могло приключиться?

— «Лахудрой»?

— Да та еще штучка! Жуть как хотела в столицу пробиться, к нам пожить просилась, — сама-то она вологодская. А куда к нам — сами теснимся! Ей все красивая жизнь мерещится, Ирке! Девка она видная, ничего не могу сказать, но дура редкая. Думает, что в Москве богатые женихи на каждом углу ее поджидают! А тут своих красоток навалом, и все по углам стоят, в ожидании женихов-то! Я так Ирке и сказала: кому ты тут нужна, лахудра провинциальная?

— Она обиделась? — заинтересовался Кис.

Обидевшаяся «лахудра» могла сделать что-то нехорошее Лизе, и та, как знать, отомстила ей...

— Без понятия. Главное, я ее отвадила. А что такое с ней, что с Иркой-то? Вы сказали — беда...

— Погибла она. Во Франции, на юге. Утонула в озере.

Лизина мать впала на некоторое время в молчание. Затем вдруг поднялась и ушла в комнату. Детектив терпеливо ждал ее возвращения.

Вернулась она с чайной чашкой в руках, но гостю чаю не предложила. И то: насколько мог видеть Кис, в чашке ее красноватыми отблесками светилась какая-то настойка, типа «рябиновки-малиновки». Галина Мироновна сделала несколько быстрых глотков и заговорила.

Поток ее речи был почти бессвязным, словно прорвался через какие-то препоны. Она вспоминала свою непутевую сестру, приходившуюся Ирине матерью, непутевых отцов, непутевых дочерей...

Когда речь ее дошла до непутевых президентов, Кис понял, что у Галины Мироновны имеются некоторые проблемы с головой. Чему, без сомнения, способствовал алкоголь.

Детектив сделал еще одну попытку узнать, куда и к кому улетела Лиза, но ничего не добился.

Ввиду такой неудачи Кис попросил разрешения заглянуть в компьютер Лизы — мало ли, вдруг там следы переписки с загадочными французами! — но и тут облом вышел: выяснилось, что девушка забрала его с собой.

— Лиза улетела три недели назад... Неужели она вам с тех пор не позвонила?

— Как же, звонила, конечно!

— С какого номера? В вашем телефоне есть определитель?

— Определитель?

— Ну да. Он показывает входящий номер.

— Где?

— Где показывает? На экране... В вашем телефоне есть экран?

— Экран?

Как выяснилось, у Галины Мироновны имелся старый аппарат со шнуром и, конечно, без экранчика и без определителя.

— Да я и так знаю, Лиза мне со своего мобильного звонила! Она мне сама сказала! Говорила со мной коротко и объяснила, что с мобильного, мол, дорого...

— Когда?

— Да дня четыре тому назад... Сказала, что все в порядке у нее...

— А отец ее ребенка, этот приятель Лизы, — как с ним можно связаться?

— Зовут его Тимкой, Тимофеем... Это все, что я знаю. Ну еще, что он сокурсник Лизин... А что с моей дочкой?

— Ничего... Надеюсь, что все в порядке.

— Так почему вы о ней спрашиваете?

Кис повторил то, что сказал в самом начале: что погибла Ирина, а ехала она при этом к двоюродной сестре... Вот отчего хотелось бы узнать о Лизе побольше...

— Так Ирка — лахудра! — сообщила свежую информацию Галина Мироновна.

Алексей не счел полезным продолжать беседу. Он записал номер сотового Лизы, с чем и откланялся.

— ...Только ее телефон не отвечает, Реми. Я уже обзвонился. Запиши его, — вдруг вам удастся дозвониться... Я тоже буду набирать. Раз она с матерью общалась, значит, у нее есть роуминг. Хорошо бы пробить ее номер, через каких операторов звонки к матери проходили. Сможешь?

— Я тут не в своей епархии, связей у меня в этих местах нет... Попробую, но не обещаю, Кис. У нас с Ксюшей пока два варианта: либо Лиза сама виновна в убийстве кузины, либо мужик, что за Ириной приезжал в кафе, Лизу убил, а Ирину заодно, чтобы об исчезновении кузины не болтала. Правда, есть еще третья версия, Ксюша выдвинула: мужик тот маньяк и Лизу где-то держит... Но во всех случаях хреново получается. Надо найти, куда Лиза подевалась. Я твою информацию еще не обмозговал, а пока скажи: что ты можешь еще сделать?

— Риелтора не найти, увы: Лизина мать даже имени его не знает. Так что попробую разузнать о французах. По правилам, они должны были зарегистрировать свое пребывание в районном ОВИРе... В смысле, в районном отделении МВД. Было бы хорошо разыскать того сокурсника, от которого Лиза беременна: они вроде бы в дружеских отношениях. Но шансов мало: сессия закончилась, студенты разъехались, а мать даже его фамилии не знает... Ладно, посмотрим. И еще постараюсь пробить билет Лизы: куда она улетела и насколько.

Ксюша, выслушав отчет мужа, немедленно разродилась новой гипотезой: Лиза, вынужденная делить доходы от сдачи бабушкиной кварти-

ры с кузиной, — притом что они с матерью бед-
ствуют, а тут еще и ребенок грядет, — могла избавиться от Ирины лишь затем, чтобы не делить
с ней эти доходы!

Реми приобнял жену за плечи.

— Ксю, что бы мы с тобой сейчас ни насочи-
няли, помогут нам только *факты*. А у нас пока,
мон кёр, только *домыслы*...

— А как мы будем факты добывать?

— Для начала я попробую воспользоваться
помощью Брюно.

И Реми позвонил хозяину озерного пляжа.
Продиктовал российский номер сотового Лизы
и попросил пробить, если удастся, по его лич-
ным каналам, через каких мобильных операторов Франции прошли звонки Елизаветы Чеботаревой матери... А может, и не только ей.

«Попробую, — ответил Брюно. — Но мой
племянник, он там пока не шибко крутую должность занимает... Не знаю, сумеет ли...»

Реми заверил пляжного директора, что по-
пытка не пытка и что он не будет в обиде, если
не выгорит.

— А нам что делать? — не унималась Ксюша. — Сидеть сложа руки?

— Зачем нам *сидеть сложа руки*? Я предпочи-
таю *лежать*, а *рукам* найдем применение получше, надеюсь! — засмеялся Реми. — Ксю, уже
вечер. Давай поужинаем и отправимся спать.

— Ну вот уж нет! Я хочу это дело расследовать!

— Завтра.

— И что будет завтра?

— Вернемся в Альпы. Исходя из гипотезы,
что мужчина на «Пежо-307» назначил Ирине

встречу не в своем городе, но при этом проживает где-то поблизости, — мы завтра объедем с тобой ближние поселения с фотографией Лизы, которую Кис загрузил мне в телефон. Вот она, кстати, погляди!

На Ксюшу с маленького экрана смотрела миловидная девушка с нежными чертами и мягким выражением лица. Волнистые русые волосы, ниспадающие на плечи, светлые глаза — их оттенок невозможно разглядеть на фотографии. Лиза была снята по пояс, стройность фигуры только угадывалась. Снимок был сделан явно до беременности: талия Лизы на нем была тонкой.

— Правильно! — обрадовалась Ксюша. — Если Лиза въехала во Францию, — а сомневаться в этом трудно, учитывая, что денег у них с матерью нет для независимой поездки на курорты Италии, — то ее где-то должны были заметить! В магазинах, в кафе, да и просто на улицах!

— Только если она не заперта где-то маньяком, как ты предположила, — усмехнулся Реми.

— Ну... Ведь это только одна из трех версий! Аж трех! Значит, у нас шансов не так уж мало!

Реми засмеялся: ему страшно нравился Ксюшин пыл.

* * *

Этим утром, после еще одного исследования на сканере, Лизе разрешили встать, и она слонялась по скучному больничному коридору до тех пор, пока не завидела Лорана.

Он стремительно приблизился и радостно заявил:

— Все идет хорошо. Можно тебя выписывать!

— У меня больше нет гематомы?

— Ну, не совсем... От нее осталась самая малость, пустяк. Это уже не критично. Нужно лишь соблюдать покой. Не бегать, не прыгать и не волноваться.

— И когда?

— Сегодня. Сейчас. Вот только повязки снимут с головы, и можно ехать...

Он запнулся. Лиза поняла почему: ехать-то можно, но куда?

До этого момента Лоран интуитивно предполагал, что к нему. Ясно, что других вариантов нет. И потом, расставаться с Лизой в его намерения не входило. Нет, ничего похожего на любовный трепет он не испытывал — да и откуда ему взяться? Любовь, влечение — все это чувства здорового организма к здоровому же, тогда как Лиза была больной. Но она была его «больной», он по-прежнему считал ее своей пациенткой. Кроме того... Или самое главное: он никак не мог отделаться от ощущения «чудесности» ее появления в своем кабинете, и это было его личное чудо, оно принадлежало ему, — хотя бы до тех пор, пока он не поймет его смысла и значения.

Но только сейчас он сообразил, что предлагать едва знакомой девушке остановиться в его доме — неприлично. Двусмысленно. Заверять же Лизу в том, что ее положением он пользоваться не собирается, будет еще неприличнее: получится, он подозревает ее в опасениях на свой счет...

Она не ответила, глядя в сторону.

Лоран рассердился. Все складывалось по-дурацки, и Лиза ничем не желала помочь ему! Ну отчего б ей не сказать: «Мне некуда ехать!» — и упростить тем самым его ответное предложение...

— Ты случаем не вспомнила, где остановилась? У кого? — излишне сухо спросил он.

— Нет.

— Память должна к тебе возвращаться! Ты уверена, что не вспомнила?

Лиза помотала головой. Она действительно не помнила.

Доктор смотрел на нее долго... Долго и внимательно, с каким-то сомнением.

Откуда Лизе было знать, что Лоран ищет слова, чтобы предложить ей остановиться у него? Она поняла его сомнение по-своему.

— Ты мне не веришь, что ли? — взорвалась она.

Он молчал. Он все еще искал слова.

— Ну, выписывайте меня! Я пойду... куда-нибудь...

— Это куда же? — с легкой издевкой спросил он.

— Куплю билет в Москву!

— Без паспорта? Не смеши. Если бы ты вспомнила хотя бы свою фамилию, то можно подать запрос в консульство России на восстановление твоих документов. Ты ее вспомнила?

— Нет.

Он снова умолк, поглядывая на нее. Лиза была уверена: не верит ей доктор, во лжи подозревает!

Она собралась было развернуться и уйти в свою палату. Как вдруг он произнес:

— Я могу приютить тебя на несколько дней, пока память не вернется. У меня в доме есть комната для гостей...

Лицо его выражало столько сомнений, что Лиза обиделась.

— Это тебе решать, — ответила она холодно. — Я не навязываюсь.

А чего он ждал? Что она начнет скакать по коридору от радости?

Впрочем, на самом деле Лиза была рада его предложению: ей ведь и впрямь некуда идти. Но сомнения Лорана ей были неприятны. Он то ли подозревал ее во лжи, то ли не хотел брать на себя ответственность за незнакомую личность, к тому же беспамятную... Во всех случаях обидно.

— Это делает тебе честь, — заявил Лоран. — Я недолюбливаю людей, которые навязываются.

«Что я несу, мон дьё? При чем тут это?!» — подумал он, но поздно. Его уже несло.

— Я тебе ничего не должен, как ты понимаешь (несло его, глупо и грубо, но несло!). Но ты тоже... Ты не думай, что тебя это к чему-то обязывает...

Он даже немного покраснел от глупости и неуклюжести собственных слов.

Но Лиза в ответ лишь неопределенно пожала плечами.

— Ну, тогда лады, — он предпочел именно так трактовать ее неопределенный жест. — Мне нужно вернуться на работу, пациенты ждут. Я приеду за тобой к шести, а пока побудь тут, в больнице. Не скучай!

— И не собираюсь, — хмуро ответила Лиза.

По дороге на работу Лоран ликовал: она согласилась! И он сможет побыть с ней еще несколько дней, пока...

Пока память к ней не вернется... Или не отыщет ее какой-то мужчина, который предъявит на нее свои супружеские права. Ведь Лиза не так давно родила: об этом однозначно заявил гинеколог. Лоран не стал говорить ей об этом: сейчас сильные эмоции Лизе категорически противопоказаны. Но раз она родила, то легко предположить, что у ребенка есть отец, а у Лизы — муж: *Сашенька*, которого она с такой нежностью упоминала в бреду...

Впрочем, какая разница! Лоран ведь не собирался заводить отношения с этой девушкой. Он просто хотел ей помочь. И еще понять, что за странное ощущение *подарка* возникло у него...

Чтобы поскорее избавиться от него!

Лоран вернулся, как обещал, к шести. Лиза вышла к нему с пустыми руками, и было столь непривычно видеть женщину без сумочки, что ему вдруг стало неловко. Как-то ему не пришло в голову, что следовало Лизе хоть зубную щетку купить, расческу там, и вообще... Словно она и в самом деле упала с далекой звезды и такие земные вещи, как чистка зубов, ей неведомы.

В машине, минут через пять езды, он спросил озабоченно:

— Ты голодная?

— Не знаю...

— У меня дома не бог весть что, я обычно в ресторанах питаюсь... Поедем ужинать?

— В ресторан?

— Ты плохо себя чувствуешь?

— Нет, ничего, сносно. Поехали.

— Резких движений не делать. Выходишь из машины медленно, идешь медленно, садишься за стол медленно... И после ужина в обратном порядке, поняла?

Лиза кивнула. Она и в самом деле чувствовала себя лучше. События трехдневной давности — хижина, нестерпимая боль, мужичок, собиравшийся ее убить, — все это казалось сейчас тягостным сном, от которого она наконец очнулась. Она бы с радостью забыла эти события, причем навсегда! Вряд ли это ей удастся, конечно, но сейчас, чувствуя, как возвращается к ней жизнь, она задвинула их в самый дальний, темный угол своей памяти.

— Держи, причешись! — Лоран протянул ей расческу, мужскую, с мелкими зубьями, и откинул перед ней зеркальце с подсветкой.

Лиза взяла ее в руки с сомнением, осторожно коснулась головы, и расческа тут же намертво застряла в ее густых волнистых волосах.

— Не получится, — констатировала она, возвращая ему расческу. — К тому же у меня на затылке клок волос выстрижен... Распугаю всех людей в ресторане!

— Да брось ты, это совсем незаметно! И волосы можно разложить так, чтобы они закрывали твою наклейку.

— И одежда на мне грязная... Мне не во что было переодеться... Может, лучше все-таки купить еды и поесть дома?

Лоран посмотрел на нее.

— Лучше, пожалуй, купить тебе другую одежду, — заявил он и, развернув машину, направился к коммерческому центру.

Они выбрали летнее платье, длинное, — у Лизы еще оставались следы ссадин и царапин на руках и ногах, и она хотела их прикрыть максимально. Лоран тут же прикупил и щетку для волос, и Лиза привела свои волосы в порядок, прикрыв густыми прядями проплешину со швами.

— Ну вот, вроде немножко стала похожа на девушку... А не на зомби! — весело заключил Лоран, окинув ее одобрительным взглядом. Белое с бирюзовым платье, с пояском на талии, ей необыкновенно шло, подчеркивая стройную фигуру. Гармонию нарушал лишь небольшой животик, который Лиза рассматривала с некоторым недоумением, проводя по нему руками, словно не веря отражению в зеркале.

Лоран знал, откуда он взялся, этот животик, но ничего ей не сказал — рано.

Он тут же потащил ее в соседний бутик, купил для нее зубную щетку и пасту, шампунь, лосьон, кремы для лица и для рук... Его фантазия на этом исчерпалась, и он принялся было советоваться с продавщицей, но Лиза его остановила: «Мне этого хватит, спасибо».

Она реагировала на все эти покупки не то чтобы равнодушно, но скорее с любопытством ребенка, чем с радостью женщины. И это было удивительно. Наверное, последствие травмы.

Или ее инопланетного происхождения?

Лиза и в самом деле воспринимала все с любопытством первооткрывателя. Если она оказалась во Франции... у кого-то в гостях... — то ей все это должно было быть знакомо, по логике вещей. Но никакого узнавания не происходило, и этот коммерческий центр, нарядный, полный красивых вещей, казался ей чем-то нереальным, сказочным, игрушечным, как декорация к фильму или как... Как Диснейленд!

Но ведь в Москве тоже полно магазинов и коммерческих центров — наверное, внутри там тоже так красиво... Почему же она этого не помнит? Диснейленд вот вспомнила, а нарядное убранство магазинов — нет?

Или в Москве они не такие красивые?

Или она в них никогда не бывала?..

Лоран оказался гурманом. Может, не столько был им на самом деле, сколько соблюдал неписаный кодекс своего социального положения. Врач во Франции — человек уважаемый, человек имущий, Лиза это знала. А такие люди стремятся соответствовать своему статусу — точнее, тому, как этот статус видят окружающие. Тем более в ресторане местном, где его знали.

Как бы то ни было, ужин он заказал отменный. Дорогая рыба под изысканным соусом, морепродукты, отличное белое вино. Правда, Лизе он налил всего четверть бокала: «Тебе рановато. Только чуть-чуть, для вкуса!»

Ей было все равно. Она не хотела вина. Она и есть не хотела, но Лоран ее заставил. И был прав! Поев, она стала чувствовать себя значительно лучше. Ее щеки тронул румянец, глаза заблестели — об этом сказал ей Лоран. Малая толика вина сыграла в этом, как ей казалось, не последнюю роль. Она попросила еще.

Лоран, поколебавшись, снова наполнил четверть бокала.

— Больше не проси! — предупредил он.

Она и не собиралась. Ей нескольких глотков вина вполне хватило, чтобы прийти в состояние, близкое к эйфории. Лизе хотелось, чтобы этот вечер никогда не кончался: ей почему-то казалось, что такого дивного вечера еще никогда не было в ее жизни...

Впрочем, она ее не помнила.

Они почти не разговаривали за ужином. Так, о пустяках: «Тебе понравилась рыба?» — «Очень». Да и о чем можно говорить двум незнакомым людям, один из которых к тому же ничего не помнит о себе?

Но это не мешало. Молчание не было принужденным — наоборот, естественным, легким. Они лишь иногда немного улыбались друг другу, встречаясь взглядами. Лиза с любопытством рассматривала ресторан, — с тем же любопытством, что недавно бутики, а Лоран украдкой разглядывал ее.

Сказать, что она красива, он бы не смог, — это слово вообще из какого-то другого словаря, не имеющего отношения к Лизе. Конечно, на человеческом языке ее вполне можно назвать «миньон», то есть миленькой, хорошенькой, но то на языке человеческом... Ее широко расставленные глаза необычного оттенка — голубые, но со столь ярко обведенной черным контуром радужной оболочкой, что они казались цвета грозовой тучи, ее высокие славянские скулы, ее необыкновенно белая кожа завораживали его настолько, что он с трудом отрывал от нее взгляд... Он бы и не отрывал, если б такое назойливое созерцание не грозило показаться невежливым.

Впрочем, Лиза ничего не замечала. Она вела себя с обезоруживающей естественностью ребенка, который разглядывает новую книжку с картинками. В ее поведении, манере держаться не сквозило ничего женского, столь привычного Лорану, — столь присущего любой девушке, напротив которой сидит симпатичный мужчина (то есть он, Лоран), да еще и холостой. Обычно женщины и взгляды оттренированные бросают на него, и руками в такт словам поводят — особенно те, у кого руки красивые или кому хочется похвастаться кольцами... И пряди волос поправляют то так, то этак, и плечиком дергают, и улыбки разные меняют, красиво складывая губы...

Ничего этого Лиза не делала — она была бесхитростна. Возможно, эти женские уловки стерлись вместе с ее памятью... Но Лорана это поразило. Он впервые за всю свою сознательную жизнь — мальчика, затем мужчины — видел существо женского пола, которое не прибегало ко всем этим милым уловкам. Она была равна самой себе, человеческой своей сути, да и та не особенно себя проявляла. Ведь суть человека складывается из опыта его души. Из страданий, радостей, мыслей. Тогда как все это стерлось из ее памяти...

Она напоминала вынесенную из пучин бутылку, гладкую, голую, внутри которой запечатано послание.

И чем дальше, тем больше ему хотелось это послание прочитать.

До его дома они добрались благополучно. Он отвел Лизу в комнату для гостей — дом был большим, многокомнатным. Разложил на полочке гостевой ванной купленные для нее предметы гигиены, постелил постель.

Когда Лиза после душа («Голову не мыть!» — предупредил он) появилась из ванной в «гостевом» белом махровом халате, Лоран дал ей успокоительную таблетку, как велел нейрохирург, и вышел.

Налив себе бокал вина, он направился через террасу к бассейну, где, удобно устроившись в плетеном кресле, еще некоторое время сидел в наушниках. Он пил вино маленькими глотками, созерцая живое звездное небо под музыку Рахманинова и ощущая прилив беспричинного счастья. Дело было, конечно, не в Лизе — хоть она очень милая девушка, надо отдать ей должное, — просто ее вторжение в его жизнь нарушило привычную рутину и вселенскую скуку бытия.

Он не заметил, как задремал. Проснулся от ночной прохлады, стянул с себя наушники, выключил плеер и пошел в дом. Закрывая за собой стеклянную дверь на террасу, он увидел какое-то странное движение на противоположной стороне бассейна, будто что-то метнулось между шезлонгами. Лоран отошел в сторону от двери, ожидая, когда на террасе автоматически погаснет свет. Через минуту, когда стало темно, он вернулся к стеклу и принялся всматриваться в очертания шезлонгов и кустов с той стороны бассейна... Вроде бы никого. Показалось.

Или не показалось?

Он задернул легкие шторы, выключил настольную лампу, единственный источник света в гостиной, — хоть и слабого, но все же Лоран счел, что это позволяло разглядеть его за занавесками, — и снова принялся наблюдать за своими владениями.

Не зря!

От черных кустов отделился силуэт, распрямился. Судя по немалому росту, мужчина. Он не двигался — просто стоял, всматриваясь в дом, будто раздумывая.

Лоран ждал. Наконец мужчина двинулся вокруг бассейна, затем свернул влево, огибая дом в сторону ворот и фасада виллы. Лоран переместился из гостиной в прихожую, к небольшому стрельчатому окошку. Мужчина появился из-за угла и направился к воротам. Миновал их и метра через четыре исчез в живой изгороди, — в том месте, где с прошлого года торчал высохший куст, Лорану все было лень его заменить...

Судя по раскачавшимся веткам, мужчина перелез через ограду. Иными словами, покинул участок доктора.

Выждав еще несколько минут, Лоран тихо вышел из дома через террасу и обошел свои владения. Ничто не указывало на постороннее присутствие, и доктор вернулся в дом. Он еще долго думал, растянувшись на кровати, что бы это значило, но, так ничего и не придумав, заснул.

Четверг

Позавтракать они решили в кафе. Все-таки отпуск, и, даже если они собрались потратить его на дело — на расследование, не хотелось отказывать себе в маленьких удовольствиях. Например, посидеть на веранде кафе, а не жевать скудный «французский завтрак» в четырех стенах отеля.

110   Утро было не слишком ранним — девять с копейками, — и Ксюше нравилось ощущать, как наливается воздух жаром, изгоняющим прохладу ночи, как полосуют тенью ветви старых платанов разгорающийся свет солнца, как тянет с моря солоноватым ветром... Искупаться бы! Пойти на пляж, подставить солнцу тело (да и подзагореть бы не мешало), а затем войти в воду, еще довольно холодную в эти часы, и, взвизгнув от восторга, плюхнуться в нее, бешено заработав руками и ногами... А потом блаженно довериться ее упругости и плыть, переворачиваясь со спины на живот, выделывая круги, ныряя и замирая в неподвижности на тугой спине моря...

Но *дело*, как водится, требовало жертв. Прогнав мысли о море, Ксюша прикончила завтрак. Реми уже допил свой кофе и ждал ее.

— Смотри, — произнес он, когда их столик очистили от грязной посуды, — смотри сюда... — Он разложил карту на столе. — Мы с тобой решили, что мужчина, который приехал за Ирэн, назначил ей встречу не в том городе, где он жил: он не мог рисковать, иначе бы его узнали местные. Соответственно и не там, где находилась... или до сих пор находится Лиза.

— Я помню.

— Тогда я беру даже не соседние городишки, а третьи, четвертые и так далее, если точкой отсчета считать Вилльгард.

Реми обвел его жирным кружком и провел радиальные линии от него, точками отмечая поселения, в которые им следовало заехать, чтобы расспросить о Лизе.

Ксюша вгляделась в карту и насчитала порядка двенадцати городков. Горы диктовали свои условия: чем дальше на север, тем они были круче, тем жилые поселения реже, отчего основные радиальные линии пришлись на запад и на юг. На востоке были скалы, обрамлявшие озеро, но городки там все же имелись, на холмах пониже, поэтому некоторые черточки к ним Реми все же провел.

— Ну что, поехали? — спросил Реми.

— Только не гони машину! У меня от этих горных дорог голова кружится...

Они выехали в десять, но с учетом пути из Ниццы, с учетом пробегов между городками, с учетом немалого времени, которое они провели в каждом, показывая фото Лизы в магазинах и бутиках, кафе и ресторанах, на почте и в банках.... — к трем часам дня они сумели исследовать только два городка.

Безрезультатно.

— Нам так и за неделю не объехать все! — расстроилась Ксюша.

— У тебя есть более остроумные идеи? — поинтересовался Реми.

Ксюша в ответ лишь вздохнула. Более остроумных идей у нее не было.

Они сделали передышку на обед в живописном ресторане, встретившемся им по пути в третий городишко. Ксюша плюхнулась на стул с такой усталостью, словно все это время исхаживала горы ножками.

...Алексей позвонил, когда они приканчивали салат. Реми послушал, достал ручку, что-то записал, затем сообщил по-русски: «Кис, ты качок!» — это одно из выражений, которые он усвоил, и отключился.

Ксюша вскинула на него глаза.

— Ничего не скажу, пока не закончим обедать! — заявил Реми и накинулся на горячее, которое как раз подоспело.

— Гнусный интриган! — отозвалась Ксюша. Впрочем, ей это не особо помешало приняться, в свою очередь, за отбивную.

Реми изволил посвятить ее в ход дела лишь за кофе. Как выяснилось, Алексей сумел раздобыть информацию о постояльцах Лизы. У него имелась не только их фамилия, но и адрес — выписки из паспортов семейной пары. И, покинув ресторан, они направились по указанному адресу. Что любопытно, городок Ружер, являвшийся пунктом их назначения, был отмечен Реми точкой на карте...

Через час они были на месте. Точнее, до Ружера они доехали всего за полчаса, но до виллы месье Шарбонье они добирались еще столько же. Аллея Ангелов, дом 5 — таков был его адрес, но аллею эту они искали страшно долго. Ксюша вновь подивилась, как устроена эта гористая местность: виллы разбегаются по холмам и горам, отчего иной раз всего лишь тройка домов числится по так называемой улице... Да и улиц, в привычном понимании, вовсе и нет: есть только узкая каменистая дорога, накатанная шинами обитателей, — вот тебе и вся улица. Или аллея.

— Ксю, я не думаю, что тебе имеет смысл идти со мной, — произнес Реми, когда дом 5 по аллее Ангелов встал перед ними во всей своей красе: большая белая вилла с арочными сводами, сбоку терраса, у подножия которой сиял лазурью бассейн.

Вежливая форма не обманула Ксению: она поняла, что Реми подобным образом отдает на самом деле приказание.

— Почему?

— Ты русская, тебя выдаст твое произношение. Лиза тоже русская. Если эти люди причастны к исчезновению Лизы, то ты их излишне напряжешь.

— Хорошо, — кивнула Ксюша.

Соображение мужа ей показалось справедливым, и хотя Ксюша сгорала от любопытства, она осталась ждать в машине, припаркованной Реми на гористой улице пятьюдесятью метрами ниже.

Реми нажал кнопку звонка у калитки, на которой красовалась золотая табличка с выгравированным на ней текстом: «Доктор Винсент Шарбонье, гинеколог-акушер»[1].

— Здравствуйте. У вас назначена встреча? Кто вы? — ожило переговорное устройство.

— Реми Деллье, частный детектив. Я хотел бы вас расспросить о Лизе Чеботаревой...

Калитка распахнулась, и Реми ступил на дорожку, вымощенную плитами из ракушечника.

Ксюша пошарила в бардачке. Она знала, что ее муж имел уйму всяких важных и мудреных приспособлений, среди которых бинокль можно

---

[1] У многих врачей во Франции профессиональные кабинеты находятся при доме.

114 считать детской игрушкой. И впрямь, бинокль в бардачке наличествовал, и Ксюша поднесла его к глазам, подкрутила колесико фокуса. Более совершенное приспособление — даже не бинокль, а целая подзорная труба, цифровая, со встроенной камерой, — лежало в багажнике в особом чемоданчике, но Ксюше лень было за ним идти. К тому же чемоданчик заперт, а ключ небось у Реми.

Навстречу ее мужу, увидела она, направился по дорожке высокий худой человек с темными прямыми волосами. Выражение его карих глаз вполне можно было назвать удивленным. В двери особняка появилась женщина. Маленького роста, мужу она, если являлась его женой, до подмышки едва доходила. Волосы светлые, крашеные или натуральные, не разберешь.

Звуки долетали до Ксюши, но слов она понять не могла. Ясно, что они обменялись приветствиями... Затем мужчина представил женщину, после чего произошла церемония пожатия рук. Жена так-таки. Вряд ли бы хозяин виллы стал знакомить гостя с горничной.

После чего все трое исчезли внутри дома, и Ксюша удрученно отложила бинокль.

— Конечно, мы знаем Лизу Чеботарефф! Мы у нее останавливались, когда ездили в Москву. Премилая девушка, должен вам сказать! — сообщил Винсент, когда они вошли в прихожую. Пройти в дом он гостю не предложил.

— Очаровательное создание! — поддакнула Анн, его жена. — А что случилось? Почему вы ищете Лизу?

— Мать ее беспокоится, — соврал Реми. —
Лиза ей не позвонила в назначенное время, и она
заволновалась. Обратилась к русскому детективу,
моему хорошему знакомому, а он попросил меня
разузнать, куда подевалась девушка!

— Но она... Позвольте, почему вы решили узнать *у нас*, где Лиза?! — удивилась Анн.

— Вы не столь давно общались с ней в Москве. После чего Лиза улетела за границу... Мой
друг так понял, со слов матери, что она поехала
к вам в гости! — еще раз соврал Реми.

— Мы ее действительно звали к себе... — начал Винсент, — но она...

— Лиза, — перебила его супруга, — сказала,
что прислушается к нашему совету отдохнуть, но
поедет в Италию! Она почему-то бредила Италией. Говорила, что там дышит История. Как будто во Франции она не дышит! — с обидой добавила Анн.

— Но, дорогая, — обернулся к супруге Винсент, — Италия — это ведь не только современ-
ная европейская страна, это еще и Древний
Рим!

— Ах, ну да.

— То есть Лиза улетела в Италию... И к вам не
наведалась? Тут ведь недалеко, через границу...

— Не наведалась, — сообщила Анн. — Таких
планов у нее не было.

— Но, по моим сведениям, финансовое положение Лизы очень скромное... Откуда у нее
деньги на отдых в Италии? Не каждый француз
может себе позволить отдых за границей, к слову. А у русской девушки, живущей на скудные
средства от сдачи...

— Квартиры? — не дала Реми закончить фразу Анн. — Так мы ей очень неплохо заплатили! Мы ведь не только жили в ее квартире, но платили деньги и за питание, и за экскурсии...

— И сколько же вышло? — невинно поинтересовался Реми.

— А вам не кажется, что вы задаете неуместные вопросы? — парировала Анн.

Разумеется. Вопрос о тратах, равно как и о доходах, считается во Франции неприличным.

Он собрался ответить, но вдруг до него донесся детский плач. Анн извинилась и ушла в глубь дома. Сыщик остался один на один с Винсентом.

— В общем... — проговорил тот смущенно, — отдых в частной квартире влетел нам в копеечку, если честно. На наши деньги Лиза вполне могла поехать отдыхать не только в Италию, даже на острова экзотические хватило бы!

— А зачем же вы выбрали столь дорогостоящий отдых?

— Вы не знаете, какие цены в Москве! Вы просто не представляете, что это за город! Как бы дорого ни вышло нам пребывание на частной квартире, в гостинице еще дороже! Да плюс пришлось бы отдельно питание оплачивать, да экскурсии в придачу!

— А зачем вам в Москву-то... — начал было Реми, но тут же умолк. Французы — страшные любители всякой экзотики, и их может забросить не то что в Москву, но и в юрту чукотского оленевода! Причем заплатят и чукче неимоверные бабки за прием... Тут уж туристические агентства не дадут расслабиться, своей выгоды не упустят!

— Через кого вы нашли Лизу? Как вышли на нее?

Винсент обернулся, высматривая жену, но та прочно затерялась где-то в глубинах дома, занятая младенцем.

— Мы... Толком не знаю, если честно. Жена этим занималась. Кто-то посоветовал нам ассоциацию одну, русско-французской дружбы, а уже через нее нам предложили Лизины координаты... Вы зайдите в другой раз, сейчас, сами видите, момент неподходящий. Жена недавно родила, малыш требует ухода... А лучше позвоните, назначим встречу!

Реми записал номер телефона и, извинившись за беспокойство, покинул виллу.

Во дворе он снова незаметно осмотрелся: не обнаружится ли тут «Пежо-307», который приезжал за Ириной?

Однако во дворе ни одной машины не наблюдалось. А у ворот стоял «БМВ» последней модели.

Услышав пересказ мужа о беседе, Ксюша озадачилась. Вроде бы все гладко выходило...

— Так что, мы этот вариант закрываем?

— Пока нет. Что-то «звенело» в их словах. Хотя, может, всего-навсего напряжение, которое почти все люди испытывают, когда к ним приходят сыщики. Раз приходят — значит, в чем-то подозревают. Отсюда и напряжение. Пока надо бы узнать, какая машина у Анн Шарбонье...

— Иными словами, ты им не поверил! — констатировала Ксюша.

— Да нет же! Я им не не поверил! Но и не поверил до конца...

Реми набрал номер пляжного директора Брюно, изложил свою просьбу. Брюно брюзжал в ответ, что долго детектив копается, но все же обещал напрячь свой контакт в жандармерии и о машине Анн Шарбонье разузнать.

— Пока у нас нет другой информации, — постановил Реми, отключившись, — будем следовать намеченному плану, вот и все.

* * *

Солнце путалось в желтом шелке занавесок, плескало по комнате радостным золотистым светом. Лиза вышла босиком из комнаты. По теплым терракотовым плиткам ступать было приятно. Она обошла несколько комнат, словно что-то ища... И вдруг поняла, *что*!

Лоран сидел на кухне, спиной к ней, — загорелое тело, белые шорты. Он прихлебывал из чашки и смотрел в ноутбук. В кухне витал запах кофе и поджаренного в тостере хлеба.

— Сашенька...

Он обернулся.

— А, проснулась! Заходи, я тебе кофе сделаю. У меня есть гренки, масло, клубничный конфитюр и мед.

— Сашенька...

— Я Лоран, ты забыла?

— *Сашенька* — это мой сын!

Он вскинул на нее глаза. Лиза прошла, села напротив.

— Что ты еще вспомнила?

— Немного. Он совсем маленький. Грудной.

— Как к тебе пришло воспоминание?

— Я проснулась и принялась искать что-то... 119
Не могла понять, что именно. И вдруг меня
пронзило: детскую кроватку! Там Сашенька!

— Лиза... Я не хотел тебе говорить, чтобы не
волновать... Но раз ты сама вспомнила, то скажу. Наш гинеколог считает, что ты недавно рожала. Только у тебя почему-то молока нет. Возможно, ты сделала укол, чтобы прекратить его
выработку? Некоторые женщины так делают,
чтобы форму груди не портить...

— Не помню... Но я не стала бы, Лоран! Кор-
мить ребенка грудным молоком — своего ребенка — это... Это важнее формы груди!

— Значит, оно просто не пришло. Так бывает
иногда. Хотя, если судить по твоей конституции,
то... Неважно. Ты только не паникуй, ладно?
Поешь сначала, потом обсудим.

— Если я здесь, то где мой сын?!

— Лиза, я просил тебя не паниковать. В твоем состоянии очень важно не волноваться.
Стресс может снова спровоцировать кровотечение в мозгу, слышишь? Вдохни-ка поглубже...
Теперь медленно выдохни... Вот хорошо, умница. Еще раз... И еще разочек... Ну вот, отлично.
Тебе гренки с конфитюром или медом?

— Лоран, мне надо срочно вспомнить все!
Сделай что-нибудь, ведь ты же врач!

— Я не понял, мы для чего с тобой дышали?!

— Откуда мне знать, для чего?

— Лиза, я тебе сейчас укол вкачу, если ты намерена поддаваться истерике!

— Не надо... Я не буду... Гренки с конфитюром лучше давай...

Они закончили завтрак. Лоран посмотрел на
часы. Первый пациент должен прийти к нему на

прием через сорок минут, пора выезжать. Но этот ночной визитер в саду... Он не давал ему покоя.

Грабитель? Но почему он не воспользовался тем, что Лоран вчера задремал на террасе? Он мог легко нейтрализовать (связать, к примеру) хозяина и пробраться в дом. А во-вторых, к чему такие сложности, когда грабитель (если это был он) не мог не знать, что днем доктор почти всегда отсутствует? Куда как проще выносить добро в отсутствие хозяев! И даже о соседях можно не особо беспокоиться: участки здесь поистине огромные, до соседней виллы добрые сто метров, к тому же вид заслонен разного рода растительностью, которую жители гористой местности любовно взращивали на скудной каменистой почве... Так что при наличии минимальной осторожности вор мог спокойно свершить свое черное дело днем, в отсутствие хозяина.

Выходит, он интересовался Лизой? Однако накануне он Лизу вряд ли мог видеть: машина въехала в гараж, оттуда они поднялись по внутренней лестнице в дом, и Лоран сразу же отправил Лизу спать!

Ничего не понятно.

Лоран допил кофе и встал.

— Значит, так. Я должен ехать на работу. А ты ляжешь обратно в кровать. Можешь смотреть телевизор, слушать музыку... У меня книги есть, библиотека в той комнате, где стоит письменный стол... И спать, конечно, — это лучше всего. Твой организм должен отдыхать после перенесенных потрясений. Из дома не выходить, я все двери запру... и ставни опущу. Ты будешь отдыхать и ждать меня. Я постараюсь освободиться пораньше, куплю еды и приеду. И мы тогда все с тобой обсудим. Поняла?

— А зачем меня запирать? Я бы на террасе посидела, на солнышке, — почему нельзя?

Объяснять Лизе свои опасения по поводу ночного гостя доктор не собирался. Не сейчас.

— Потому что тебе нужен покой. Я хирургу обещал тебе его обеспечить. Вот вернусь, тогда и посидим на солнышке.

Лиза пожала плечами. С докторами спорить трудно.

— Только не закрывай ставни! Мне не хочется в темноте сидеть! Я в окно не вылезу, — она улыбнулась.

Лоран подумал.

— Выпей эту таблетку.

Она послушно проглотила.

Скоро должна уснуть. Он показал Лизе, как пользоваться пультом от телевизора в ее комнате, принес дополнительную подушку и помог ей устроиться поудобнее в постели.

Уходя, он, несмотря на просьбу Лизы, опустил все жалюзи в доме и крепко запер обе двери — входную и на террасу.

. Лиза немного замерзла — эти каменные дома на юге Франции умеют хранить прохладу даже в зной! — и потянулась за одеялом, чуть приоткрыв глаза... В комнате кто-то был. Ей почему-то стало так страшно, что она не посмела повернуть голову в сторону человека, — просто схватила одеяло и укрылась с головой, словно оно могло ее спасти...

— Лиза!

Лоран. Это его голос, он стоит рядом с ней. Ох... И чего она испугалась?

— Лиза, ты спишь?

Она откинула тонкое одеяло.

— Кажется, уже проснулась... Мне холодно.

— Пойдем во двор, на солнышко. Я еды купил, будем обедать.

Он протянул ей руку и помог подняться, приговаривая:

— Тихонько, тихонько, не делай резких движений! Нам торопиться некуда...

— Есть куда! — Она выдернула свою руку из его ладони. — У меня где-то есть сын, а я даже не знаю где! Что с ним, с кем он?!

— Лиза, ты все равно ничего не выиграешь, даже если бегом побежишь... Куда?

Она не ответила. Лоран был прав.

Она вдруг поймала его взгляд — заинтересованный, мужской — и только тут заметила, что на ней лишь трусики да короткая маечка. Ну да, ведь она сняла с себя халат, когда доктор уехал, — в нем было жарко! А потом она без него замерзла...

— Выйди, мне надо одеться.

Она потянулась за платьем, которое Лоран купил ей вчера.

— Ты в нем запаришься во дворе...

— А где мои юбка и майка?

— Я кинул их в стиральную машину, но еще не запустил... Сейчас пойду запущу.

— Но я же не могу так...

— Почему? Очень красиво, — усмехнулся Лоран.

— Интересно, а врачи имеют право заигрывать со своими пациентами?

— А кто же им запретит! — пожал он плечами и ушел.

Вернулся через минуту со своей майкой.

— Держи. Она длинная, попу прикроет.

Они вышли во двор. Лоран снова напряженно осмотрелся, обшарив глазами каждый закоулок. На этот раз, в ярком свете, вся территория была как на ладони, и он с облегчением убедился, что никого постороннего здесь нет.

Что искал ночной гость? Чего хотел? Лоран решительно не понимал, что могло понадобиться мужчине в его саду. Сообщить жандармам? Бесполезно. Человек не напал, ограбления нет, раненых — тоже. Не будут они таким делом заниматься.

— Что ты так рассматриваешь? — поинтересовалась Лиза.

— Я? Ничего.

Часть террасы была защищена от солнца черепичным навесом, а другая находилась на солнце. За ней светился голубизной небольшой бассейн. Завидев кресло-качалку, Лиза плюхнулась в нее.

— Я тебя просил не совершать резких движений! — строго заметил доктор. — Гематома — вещь опасная.

— Так ведь ее отсосали, разве нет?

— Все равно маленькие частички остались! И они оказывают давление на сосуды головного мозга...

— Что, правда это опасно?

— А зачем я прошу тебя не прыгать?

— Хорошо, доктор, я буду вас во всем слушаться!

— Правильно, — кивнул он с деланой важностью и улыбнулся. — Сиди тут, я сейчас на стол накрою. Готовить я не умею, так что купил пиццу.

— Ты не настоящий француз, — заявила она. — Настоящий умеет готовить!

— Ты много их знала? — прищурился он.

Она смешалась и не ответила.

Лоран попросил Лизу пересесть в тень, за стол, пошел на кухню, разогрел пиццу, затем вернулся на террасу: принес тарелки, приборы, салфетки и прочие необходимые для обеда предметы.

...У Лизы на коленях сидела серая пушистая кошечка и мурчала тракторным мотором от удовольствия, поскольку девушка почесывала ее за ухом. Лоран с этой кошкой был хорошо знаком: она принадлежала его соседям, и звали ее Мину, что написано на кокетливом красном ошейнике. Кошатина эта обладала отличным нюхом и безошибочно являлась к доктору в гости тогда, когда на его столе появлялось что-нибудь мясное — ветчина или курица, несмотря на то, что соседи кормили ее исправно. Но животное, видимо, предпочитало настоящую курицу своим кошачьим консервам.

— Ты все-таки нахалка, Мину, — сообщил доктор кошке и снял ее с колен Лизы. — Пойди помой руки, — распорядился он, обращаясь, разумеется, к Лизе, не к кошке.

— Давай ей дадим что-нибудь поесть?

— Сомневаюсь, что в ее рацион входит пицца. Мину, приходи в другой раз, договорились? А сейчас не мешай нам!

Кошечка выгнулась, потянулась, подрыгав
задними лапами, и, задрав хвост, направилась к
ограде, за которой и исчезла.

Когда они покончили с едой, Лоран сдвинул
два шезлонга у бортика бассейна, кинул на них
полотенца и пригласил ее жестом. Сам он стянул с себя одежду, оставшись в плавках-шортах,
надел темные очки, подставив загорелую грудь
солнцу.

— Можешь снять с себя майку, — сообщил он.

— Но у меня ведь нет купальника...

— Трусы с лифчиком есть. А что такое женский купальник, как не трусы с лифчиком? —
философски заключил он.

— Да, но...

— Я врач, ма белль. Я не только в трусах-
лифчиках пациенток вижу, но иногда и без. Так
что не стесняйся, располагайся с удобствами.

А сам подумал, что следовало бы купить Лизе еще и белье... И купальник. И пижаму для
сна... Как он только вчера в магазине не сообразил?

Лиза, помешкав, разоблачилась.

Лоран посмотрел на нее. На этот раз в его
взгляде не было ничего мужского — напротив,
озадаченность.

— Ты очень белая, Лиза...

— Это некрасиво?

— Нет, отчего же... Красиво, хотя необычно.
Необычно и странно: ты вроде бы тут, в Альпах,
провела какое-то время! А у нас здесь загар лип-
нет сам!

Он подумал, но вслух не произнес: а что, если ее взаперти держали? Невозможно иначе объяснить, что девушка совсем не загорела под горным солнцем!

Лиза пожала плечами.

— Может, я средствами от загара пользовалась? — предположила она.

Может. Все может быть. И средства защиты от загара, и...

— Тебе нужно защитить кожу. Кажется, у меня где-то завалялся какой-то флакон...

Лоран точно знал, что он *завалялся*. Шанталь им пользовалась прошлым летом...

Он принес Лизе флакончик, отвинтил крышку и плеснул ей на ладонь жидкого крема. Лиза принялась растирать грудь, живот и бедра... Почему-то эти медленные движения ее ладоней, словно ласкавших тело, его взволновали. Он поспешно отвел глаза и сел в кресло.

— Извини, Лоран, но не найдутся ли у тебя еще одни очки от солнца?

— Пардон, не подумал. Живу один, по-холостяцки, нет привычки заботиться о ближнем... — улыбнулся он.

— Для холостяка у тебя совсем неплохо получается, — заметила она. — Накормил, напоил, спать уложил...

— Ну, это профессиональное.

— Врачи кормят своих больных и укладывают их спать? Вот врун!

— Врун. Это один из моих недостатков. У меня их еще много, так что готовься! — рассмеялся он.

— У меня, наверное, тоже куча... — задумчиво произнесла Лиза.

— Иногда в потере памяти имеются свои

плюсы, — улыбнулся Лоран. — У тебя есть шанс казаться безупречной. Девушкой без недостатков!

И он отправился искать солнечные очки для Лизы.

Возвращаясь на террасу, решился.

— Пока я был на работе, я все время думал о твоей истории и кое-что понял... Тебя кто-то хотел убить, Лиза!

Лоран по-прежнему не хотел говорить ей о ночном визитере. Совсем не факт, что он имеет отношение к Лизе. А пугать ее нельзя. Одно дело — разговор о том, что случилось несколько дней назад, — и совсем другое, если она узнает, что кто-то рыскал вокруг виллы прошлой ночью...

— Почему ты так решил?

Лиза прекрасно знала, что доктор прав, — она ведь собственными ушами слышала переговоры мужичка по мобильному! — но ей хотелось узнать, как Лоран додумался до этого. Ведь удар мог быть вызван и падением, по большому счету!

— Очень просто. Ты очнулась на рассвете, по твоим же словам, и в горах. Значит, ты оказалась там ночью. Как? У тебя есть машина? Ты водишь?

— Не помню... Но если меня сейчас посадить за руль, то я точно не сумела бы...

— Такие навыки не забываются, они на уровне подкорки. Да и сомнительно, что у тебя есть машина тут, во Франции. Получается, кто-то тебя в горы доставил. Ударил по голове и бросил

128 там умирать... Или решил, что тебя убил: удар был сильным, он постарался...

— Но ведь я могла просто упасть и удариться головой!

— Ты не могла оказаться в горах одна, понимаешь? С тобой рядом был кто-то. И этот «кто-то», вместо того чтобы отвезти в больницу, бросил тебя в глухом месте.

Лиза не ответила.

— Вот почему он это сделал, хотелось бы узнать... Ты совсем не помнишь, к кому приехала во Францию? Может, к любовнику? Если он женат, он мог захотеть избавиться от тебя и от ребенка, такие случаи бывают...

— И тогда он убил моего ребенка тоже?!

— Или отвез его в приют...

— Лоран, миленький, я тебя очень прошу, пожалуйста, не рассказывай мне такие жуткие истории! Ведь могло все случиться иначе, на меня, к примеру, маньяк напал, а мой Сашенька жив, он его не тронул!

— Маньяк бы тебя изнасиловал или...

— Лоран, пощади!

— Хорошо. Возможно, человек, желавший твоей смерти, не является отцом твоего ребенка. Возможно, ты замужем, и твой муж остался в России...

Она посмотрела на свои руки. Лоран уловил этот взгляд.

— Отсутствие кольца еще не означает, что ты не состоишь в браке... Что возникает в твоей памяти при мысли об отце мальчика?

— Ничего.

— Ладно, зайдем с другой стороны. У тебя родители есть? Ты вспомнила, что москвичка...

А там, в Москве, у тебя есть мама? Папа? Бабушка с дедушкой?

Она задумалась.

— Мама... Я вижу ее лицо, я ее помню!

— Она жива?

— У меня нет мысли, что она умерла...

— Имя не вспоминается?

— У меня крутится в мозгу имя «Галина»... Но мамино ли?

— Не важно, пока не напрягайся. Давай поговорим о Франции. Ты сказала вчера, что приехала к кому-то в гости. Значит, ты тут не живешь. И у тебя должна быть виза... Нет, это ничего не даст, — перебил он сам себя. — Консульство не сможет выловить сведения обо всех Лизах, въехавших во Францию, тем более что мы не знаем дату... У тебя очень приличный французский, возможно, ты здесь уже довольно давно находишься?

— Я его учила в... В университете!

— И на кого ты там училась?

— На филолога, кажется...

— Год выпуска?

— Не знаю... Недавно.

— Сколько тебе лет? Или год рождения?

— Двадцать... с чем-то... Четыре... или пять... Лоран вздохнул.

— А тебе, кстати, сколько?

— Тридцать три.

— Да? А я думала, лет двадцать семь! Лоран отчего-то нахмурился.

— Зайдем с другой стороны. Попробуй вспомнить, где ты жила во Франции. В наших местах? В крупном городе? В Париже, в Ницце? Ведь человек мог тебя привезти сюда издалека под каким-то предлогом — посмотреть достопримечательности, к примеру...

— А Сашенька? Я разве могла уехать без него?

— Раз ты не кормишь грудью, то... Мало ли, оставила с подругой.

— Мне кажется, что я жила где-то здесь, в горах. Я помню, что я их не люблю... У меня от них что-то вроде... как называется чувство, когда неуютно в замкнутом пространстве?

— Клаустрофобия.

— Вот-вот. А откуда бы ему взяться, если бы я тут не бывала раньше? В Москве гор нет... К тому же такие виллы, как твоя, мне кажутся знакомыми. Эти плитки на полу, этот теплый цвет охры, которым выкрашен дом... Или белый... Белый дом, но плитки на полу из такого же камня... Они всегда нагреваются на солнце, и по ним приятно ходить босиком... И кресло-качалка на террасе... и бассейн... Мне это все знакомо. И, знаешь, мне такие дома нравятся, и теплые плитки на полу, и терраса... Еще барбекю должно быть!

Она принялась оглядываться, ища глазами печку с решеткой.

— Вон там, — произнес Лоран, указывая на некое сооружение под плотным пластиковым чехлом. — Он заржавел...

Лоран им давно не пользовался: на одного себя готовить лень, слишком хлопотно, а друзей он давно перестал собирать. Зачем? Чтобы слушать пустой треп? Для этого он иногда, в качестве развлечения, спускался в Ниццу, где присоединялся к тусовкам бывших однокурсников. А у себя дома он предпочитал послушать хорошую музыку на террасе.

— Но это важно, что ты вспомнила такие детали! Память потихоньку прорывается через заслоны. И с каждым днем будет все лучше, Лиза. Просто наберись терпения!

— С *каждым днем*?! Значит, нужно еще несколько дней ждать?!

— Или недель, не хочу тебе врать.

— А Сашенька?!

Она заплакала. Навзрыд, захлебываясь слезами.

Лоран встал, ушел в дом, вернулся со стаканом воды и таблеткой. Лиза, не спрашивая, взяла ее с его ладони и проглотила.

— Вот умница.

Он обвил рукой ее плечи и легонько прижал к себе. Когда утихли последние рыдания, когда ее тело расслабилось, обмякло на его плече, он помог ей встать с шезлонга, помог натянуть на себя майку, отвел в спальню, уложил. Лиза поерзала, устраиваясь на постели, сонная. Майка от этого движения немного задралась, обнаружив стройное бедро и чуть-чуть ягодицу. Лоран посмотрел и прикрыл Лизу одеялом.

Если боги зачем-то послали ему эту девушку, то явно не для страсти. Умом он понимал, что она хороша собой и привлекательна... Но Лоран не мог воспринимать ее иначе чем как ребенка. Милого, непосредственного, нуждающегося в заботе... Его заботе.

Но ребенка. А не женщину.

Он смотался в медицинский центр, принял оставшихся пациентов, затем заехал в свой любимый ресторан, где попросил приготовить ему несколько блюд «на вынос» для ужина, — не покупать же снова пиццу, тем более что Лиза его подколола... В ресторане такой практики не имелось — делать блюда «на вынос», но доктор Бомон был их постоянным клиентом, ему не отказали.

Потом он проехался по магазинам, купил Лизе на свой страх и риск — точнее, на свой вкус — пару комплектов нижнего белья, летнюю пижаму, ночную рубашку, купальник, солнечные очки и крем для загара. Вернулся в ресторан, забрал готовые блюда и отправился домой.

Лиза находилась в своей комнате — спала ли, нет ли, но звать ее он не стал: сон и покой — лучшее лекарство. Он снова обошел дом и сад, но ничего подозрительного не обнаружил. Да и не сунется сюда этот тип днем, при ярком свете! Он вернется ночью, — подумал Лоран, почему-то уверенный в этом.

Раздевшись, он нырнул в бассейн, где поплавал минут двадцать; затем сходил в душ, переоделся и принялся накрывать стол на террасе. Неожиданно поймал себя на мысли, что ему это доставляет удовольствие. Давно такого не было... Шанталь сбежала из его жизни, а после нее не было у Лорана ни одной женщины, вот уже больше года. Никто не приходил к нему домой, ни для кого не накрывал он ужин, ни с кем не пил вино на террасе под звездами... А звезды тут крупные, спелые, отборные — ими можно любоваться часами и не уставать!

Мысль о том, что Лиза разделит с ним этот вечер, его радовала.

«А потом память вернется к ней, и она улетит отсюда к своему Сашеньке...» — вдруг подумал он.

И рассердился на себя за эти мысли.

— Давай я тебе помогу, — услышал он голос Лизы за спиной.

Он обернулся. Волосы ее были мокрыми, с них капала вода ей на плечи и грудь.

— Я ванну приняла, — улыбнулась она, уловив его взгляд. — Только не знаю, где взять полотенце.

Мокрыми были не только волосы, — мокрой была и его майка, которую Лиза носила как короткое платье, и липла к телу, очерчивая грудь и бедра. Он и вправду утром унес сушиться ее полотенце, а новое забыл повесить в гостевой ванной...

Лоран отвел взгляд.

— Ты напрасно сделала это без моего разрешения, — произнес он хмуро. — Наклейка на ране наверняка промокла и отклеилась!

— Ничего не отклеилась! Смотри сам!

И Лиза присела на корточки возле него, подставив голову. Он потрогал. Наклейка была влажной, но осталась на месте.

— Дня через три тебе снимут швы, и наклейка уже не понадобится... Как ты себя чувствуешь?

— Хорошо. Я могу тебе помочь?

— Сначала полотенце принесу.

— А мне что пока делать?

— Ммм... тарелки тут, бокалы тоже, приборы

134 есть... А, хлеба нарежь! Он на кухне на разделочном столе. Нож в подставке, доска у стенки.

Лиза исчезла в доме, и он проводил глазами ее силуэт, казавшийся в апельсиновом свете вечернего солнца полупрозрачным и хрупким, как леденец его детства.

Ребенок? О, нет, это самообман! С ним была женщина — удивительная, странная, волнующая...

В его груди поднялась тоска, тревожная и одновременно сладостная, — иногда случалось подобное состояние души на закате, особенно когда он слушал музыку... Но Лоран знал, что такие моменты неприручаемы — их невозможно превратить в повседневное счастье.

И это хорошо на самом деле, — иначе сердцу при столь огромном счастье не выдержать.

* * *

Время уже подбиралось к шести вечера. Первым делом Реми решил исследовать городок Ружер, где проживали Винсент и Анн Шарбонье. Если Лиза, вопреки всей полученной информации, все же приезжала в гости к ним, то ее должны были в этом городишке заметить. На почте или в банке, в бутиках или кафе... Где-нибудь!

Они протаскались еще с час, показывая каждому встречному-поперечному фотографию Лизы...

Но никто ее не видел здесь, никто!

— Ремиша... наверное, мы идем по ложному пути... — засомневалась Ксюша.

— Возможно.

— Так что, возвращаемся в гостиницу?

— Нет. Едем в другой город по моему списку.
— Почему?
— Сам не знаю.
— Ты все-таки этой парочке не поверил, да?
— Ксю, не грузи. Я тебе уже все объяснил.
Если ты устала, я отвезу тебя в отель.
— Ты чего?! Я с тобой!

Около девяти вечера Реми сдался. Они сумели обойти только еще один городок. С нулевым
результатом. Продолжать бессмысленно: жизнь
замирает в подобных сельских районах после
восьми. В семь закрываются магазины, в восемь — последние бастионы жизни, булочные.
После чего народ отчаливает по домам, закрыва-
ет ставни — и ты остаешься наедине с ночью...
А с ней мало толку разговаривать, когда ведешь
следствие. Она помогает разве что поэтам.

Но Реми стихотворцем не был.

И Кис не звонил — значит, еще не накопал
нужную информацию...

— Едем в гостиницу. Поужинаем, и баиньки.
Завтра продолжим, — сообщил он.

Ксюша подумала, что они занимаются безнадежным делом... Но возражать не стала.

* * *

Солнце опускалось все ниже, а Лорану становилось все тревожнее. Если этот человек пытался высмотреть у него на вилле Лизу, то он
может появиться в любой момент... Вчера ночью
он разглядеть ничего не смог: он рыскал вокруг
виллы, но Лиза из дома не показалась. Лоран же
его спугнул своим появлением на террасе... Вот

136 почему он затаился в кустах! С той стороны бассейна он не мог видеть, спит ли доктор в кресле, и потому боялся вылезти! Только когда хозяин ушел в дом, он отважился — тогда-то Лоран его и заметил!

Днем же доктор закрыл все жалюзи и двери, не считая времени их с Лизой обеда. Но тогда Лоран все осмотрел и был уверен: *гость* тут не появлялся! И потому он сделал вывод, что этот тип снова придет, когда стемнеет... Хотя не факт, что вывод верный: прошлой ночью ему не удалось, и сегодня он может пробраться на участок пораньше, пока еще не слишком поздно, пока он мог рассчитывать застать доктора с Лизой на террасе...

В таком случае он увидит ее! И... Дальше что?

Сердце его глухо стукнуло. А если это тот, который ударил Лизу по голове и бросил ее в горах? Думал, что убил... Но каким-то образом узнал, что она выжила... И теперь ее ищет! Чтобы... добить?

Он непроизвольно вскочил с плетеного стула.

Лиза вскинула на него вопросительный взгляд.

— Давай уберем и пойдем в дом. Холодно что-то.

— Холодно?!

— Да. Тебе никак нельзя простыть, в твоем состоянии это очень опасно! Травма мозга — это...

— Я об этом уже слышала раз двадцать, — усмехнулась Лиза, поднимаясь. — Ты что-то от меня скрываешь?

— Нет.

— Врешь ведь.

Лоран посмотрел на нее. Деваться на самом деле некуда: надо отсюда срочно бежать. И придется сказать Лизе правду...

— Сначала уйдем в дом, потом я тебе объясню.

Они подхватили тарелки и рюмки, сделали еще один заход на террасу за остатками посуды и вернулись в дом. Лоран запер дверь на террасу, опустил во всем доме жалюзи и погасил повсюду свет, оставив лишь маленькую настольную лампу в гостиной, возле которой они и уселись.

Как можно спокойнее Лоран обрисовал вчерашнее видение в саду, попутно изложив соображения о том, что вряд ли ночной гость является вором.

К его немалому облегчению, Лиза не впала в панику, лишь задумалась.

— Если, по твоим словам, он интересуется мною, то как он мог узнать, что я нахожусь у тебя в доме?

— Не так уж сложно. Навел справки в больнице. Тамошние врачи знают, что я вызвался тебя опекать!

«Вызвался опекать»? Лиза едва заметно улыбнулась. А ей-то в больнице устроил целое представление: куда, мол, тебя девать теперь да что с тобой делать!..

— Чему радуешься? — удивился Лоран.

— Тому, что ты меня опекаешь... А ему прямо так и дали?

— Кому? Ты о чем? — не понял Лоран, сбитый с толку ремаркой Лизы.

— Этому типу. Информацию обо мне. В больнице.

— Просто так — нет, не дали бы... Но ведь он ищет тебя на моей вилле! Значит, пронюхал каким-то образом... Тут на днях несчастье случилось с одной русской девушкой, она в наших местах в озере утонула, так люди только об этом и говорят... за неимением более интересных событий в их жизни. Если у этого типа есть знакомый в больнице, то беседа могла легко зайти и о тебе. Ты ведь тоже русская — вот и пища для новых разговоров. А там слово за слово...

— Очень похоже, — кивнула Лиза, и Лоран снова поразился ее спокойствию.

— Еще вариант: он сам врач. Как знать, вдруг из той же больницы...

— Врач? А клятва Гиппократа?!

— Да, ма белль, здорово тебя шарахнули по голове, — хмыкнул Лоран. — Клятве следуют не потому, что ее давали, — это всего лишь слова, произнесенные вслух, запомни на всякий случай, в жизни пригодится, — он снова насмешливо хмыкнул. — Ей следуют порядочные люди, потому что порядочные. И, симметрично, непорядочные не следуют в силу своей непорядочности. Я понятно выразился?

— Значит, ты меня *опекаешь*, потому что порядочный? — усмехнулась Лиза.

Лоран не смог понять, серьезно она спрашивает или иронизирует в тон ему. Но первые проблески ее характера почему-то напугали его. Может, потому, что ему подсознательно хотелось, чтобы Лиза так и осталась для него *ребенком и пациенткой*? Может, он вовсе не так уж стремился прочитать «послание, запечатанное в бутылке»?

Он не желал додумывать эти мысли. Не желал, но тайно уже знал ответ: слово *женщина* влечет за собой слово *любовь*, слово *любовь* влечет за собой слово *боль*...

Он предпочел сменить тему.

— Шутки в сторону, Лиза. Время дорого. Надо собираться. Здесь оставаться опасно.

— Думаешь, он хочет меня добить?

— Думаю, что нужно отсюда делать ноги, — уклонился он от ответа.

— Понятно. На улице уже, наверное, темно... Он, возможно, затаился в кустах, поджидая моего появления. И, вероятно, вооружен. И, к слову, он может убить не только меня, но и тебя заодно. Как ненужного свидетеля.

Лоран смутился. Как это он сам не подумал?! Лиза права...

— В таком случае завтра утром. При свете дня мы его увидим, если что...

— При свете вряд ли он тут появится, раз задумал убийство.

— Не факт. Он вряд ли догадывается, что я его засек, и осторожности с нашей стороны не ждет... Короче, довольно гадать. Ждем утра. А сейчас ты идешь спать!

И Лоран достал свою магическую таблетку.

Он просидел у стола с лампой еще два часа, пока не понял, что ему грозит бессонная ночь. Душа его была растревожена. Опасно растревожена. Опасным желанием любви...

Он достал одну из успокоительных таблеток, прописанных Лизе, и проглотил ее. Завтра рано утром надо уезжать отсюда, и на бессонную ночь он не имеет права!

Пятница

Алексей позвонил около одиннадцати утра — в тот момент, когда упрямый Реми выезжал из Ниццы в сторону гор.

— Билет Лиза действительно взяла в Италию. В Турин.

— И обратно?

— Да. Через четыре дня должна улетать обратно, в Москву.

— Отель?

— Только билет.

— Это не странно?

— Странно. Билет куплен через туристическое агентство, оно же в кратчайшие сроки сделало ей визу, и логично предположить, что Лиза в нем же оформила отель. Но нет, отель она не заказывала. Только билет и визу. Через Россию я вряд ли найду этот отель. Нужно искать канал, чтобы попросить полицию Италии разузнать, где остановилась Чеботарева. Если она, конечно, остановилась в Италии...

— Не нравится мне это, Кис.

— Мне тоже. Какие у тебя новости?

Реми обрисовал свой вчерашний поход к чете Шарбонье.

— Есть основания не верить им? — спросил Алексей.

— Нет.

— Хм... А основания верить?

— Тоже нет. У Шарбонье «БМВ», а за Ириной к кафе подъезжал человек на «Пежо». Теоретически это могла быть машина его жены, но я ее на участке не увидел. Хотя у них есть подземный гараж, и что там находится... Спрашивать я не стал: рано их напрягать. Надеюсь, что пляжный начальник разузнает что-нибудь... Еще одна деталь: по словам Шарбонье, его жена вышла на Лизу через какую-то ассоциацию. А ты говорил, что на объявление Лизы откликнулся агент по недвижимости. Твоя информация точная?

— Нет. Это со слов матери Лизы, а они не в близких отношениях. К тому же она явно пребывает в затяжной — если не сказать, пожизненной — депрессии. И, похоже, попивает. Могла напутать.

— Попробую позвонить Шарбонье и расспросить его жену: вроде как она занималась поисками квартиры в Москве.

— Тем самым ты дашь понять, что подозреваешь их. Рано пока, ты сам сказал. Среди ваших с Ксюшкой гипотез, как ты помнишь, была такая, что Ирину сбросили в озеро из-за того, что не смогли ей предъявить Лизу. То есть девушку либо убили, либо держат в плену... В последнем случае подозрения могут подтолкнуть преступников к ее убийству, чтобы окончательно спрятать все концы в воду. Может, даже в воду того же озера! Если, конечно, преступниками являются Шарбонье...

— Кис, это и так понятно! Лучше скажи, что ты предлагаешь?

— Продолжать поиски Лизы во Франции, в этих местах. Если повезет и следы Лизы обнаружатся, то у тебя появятся основания припирать их к стенке. Причем уже с помощью полиции.

— Тут жандармерия властвует.

— Без разницы. Главное, что если ты найдешь следы Лизы в этих местах, то будет ясно — чета Шарбонье солгала. Лиза не могла приехать ни к кому другому — у нее нет иных знакомых во Франции.

— Согласен. А если не удастся обнаружить ее здесь, я поеду в Турин и буду высматривать ее в аэропорту. Пока я не найду Лизу, я не узнаю, почему погибла Ирина!

* * *

Лоран проснулся по будильнику, с тяжелой головой. Черт бы побрал эту таблетку! Его организм не привык к подобным средствам и отреагировал по полной программе, даже с лихвой!

Он выскреб себя из кровати и отправился принимать холодный душ — случалось ему пользоваться таким радикальным средством после дружеских попоек, хотя на этот раз виной его состоянию была всего лишь маленькая успокоительная таблетка...

Голова после холодного душа почти прояснилась, и он отправился будить Лизу.

Однако не обнаружил ее в комнате. В ванной было тихо, и он осмелился приоткрыть дверь... Но Лизы не было и здесь.

Сердце вдруг сжалось. Лоран почти бегом припустился на кухню, страшась тишины, стоявшей в доме...

Нет ее на кухне!

Он принялся открывать двери всех комнат. Мрак, царивший в доме из-за опущенных жалюзи, не позволял хорошенько разглядеть все закутки его большого дома, и Лоран, забыв о предосторожности, нажал на кнопку управления.

Жалюзи на окнах неспешно поехали вверх, и дом засиял нежным, только что родившимся солнечным светом.

— Болван! — вдруг обругал он себя. Зачем бегать по комнатам, когда можно Лизу позвать!

— Лиза? — крикнул он громко. Чуть громче, чем следовало.

— А, ты проснулся? Я здесь! — донеслось до него из-за двери кабинета, и через несколько секунд Лиза появилась на пороге. Ее волосы сияли в нежном утреннем свете, струившемся из окна, а лицо, наоборот, было погружено в тень, отчего глаза казались бездонными...

Лоран отчего-то отступил на шаг назад.

Лиза была одета, как в первый день, в свои юбку и майку, только чистые. Он вчера запустил машины, стиральную и сушильную, и вечером отнес вещи к ней в комнату.

— Проснулся... — хмуро ответил он. — А что ты здесь делаешь?

— Читаю, — ответила она, посторонившись, и Лоран увидел на письменном столе чашку кофе, блюдце с печеньем и раскрытую книгу. Горела настольная лампа, хотя ее свет трудно было разглядеть из-за солнечных лучей. — Тренирую свой французский, — улыбнулась Лиза.

— Давно встала?

— Часа полтора назад... Наверное, я слишком много спала из-за этих таблеток, вот и проснулась рано.

— А-а-а... Нам надо собираться, ты не забыла?

— Не забыла. Просто ждала, когда ты встанешь.

Лоран не нашел ничего лучше, как снова повторить «а-а-а».

— Что я должна сделать? — пришла к нему на помощь Лиза.

— Собери свои вещи.

— Я уже собрала... Мне только нужна сумка. Я сложила и те вещи, что ты мне купил... — полувопросительно произнесла она.

— Они твои.

— Я так и подумала, раз ты купил их мне...

Лоран пошел искать дорожные сумки, для себя и для Лизы. Нашел, дал ей, велел все сложить, включая щетку, пасту, шампуни и кремы, — и сам отправился складывать свои вещи.

Затем он с предосторожностями вышел через дверь, ведущую на террасу, обошел дом и сад: никого.

Немного отлегло от сердца. Он позавтракал в рекордные десять минут, — Лиза отказалась, сославшись на то, что уже поела. Доктор к ее кофе с печеньем отнесся весьма скептически и даже что-то проворчал насчет «быстрого» и «медленного» сахара, гипогликемии, питания для мозга... Но настаивать не стал: время дорого. Только кинул в сумку пару яблок, на случай, если Лиза проголодается.

Затем он сложил грязную посуду в машину, опустил на окнах жалюзи, запер двери, и они с Лизой спустились в гараж. Перед тем как вывести из него машину, Лоран снова обошел свой участок: по-прежнему никого и ничего. Выглянул он и за ворота, но не увидел на своей улице ни машины, ни человека.

Вскоре они уже рулили по дороге, петлявшей среди холмов, над которыми разгоралось жаркое южное солнце.

Лиза, поглядывая на Лорана, изумлялась: его лицо словно вдруг подобралось, отвердело. Подбородок неожиданно получил упрямый абрис, губы сложились в жесткий изгиб, а глаза — сосредоточенный и суровый прищур.

Время от времени он посматривал в зеркало заднего обзора, как заправский сыщик, и Лиза решила не нарушать тишину, хотя на сердце было тревожно и хотелось эту тревогу развеять болтовней.

— Куда мы едем? — спросила Лиза полчаса спустя.

— Уже приехали. Машину надо сменить. Этот тип мог разузнать, какая у меня модель...

Оказалось, приехали они в «гараж» — так называются во Франции мастерские по ремонту машин. Лиза слушала, как Лоран пояснял мастеру, что в его новехоньком «БМВ»-купе наблюдаются неисправности, нужно его осмотреть... В результате переговоров он оставил свою тачку в «гараже», а взамен получил другую (на время осмотра и, предположительно, ремонта) машину. Другой модели, другого цвета, с другими номерами.

Выехав с территории «гаража», Лоран встал на обочине, достал сотовый. Предупредил секретаршу в медицинском центре (он уже открылся) о своем отсутствии в ближайшие дни, сославшись на инфекцию, внезапно его прихватившую.

Они снова тронулись в путь. Судя по наклону дороги, они спускались с гор.

— А сейчас куда?

— Сам не знаю. Главное, прочь от моего дома!

Лоран казался хмурым, и Лиза больше ни о чем не спрашивала. Она очень бы удивилась, узнав, что доктор думает о ней...

А он думал о ней. Или, если точнее, думал он о себе. О том, что любой здравомыслящий француз на его месте уже прибегнул бы к помощи стражей правопорядка, без сомнения. Зачем здравомыслящему французу лишняя головная боль? На то он и платит налоги, чтобы полиция и жандармерия занимались подобными вещами! Доставил бы девушку в ближайший участок, рассказал бы все, что знает, включая странное явление человека в его владениях, — и оставил бы Лизу на их попечение: пусть занимаются ее судьбой дальше. Лорана ждут пациенты, приемы уже назначены, причем давно, — пациенты будут недовольны отменой! Более того, в отсутствие доктора Бомона медицинский центр перенаправит их к другим врачам, коллегам Лорана, а среди его пациентов есть немало таких, которые предпочтут болеть, но дождаться своего любимого доктора...

Однако мысль о том, чтобы отдать Лизу в руки чужих, равнодушных людей... и тем самым потерять ее... — такая мысль даже не посетила его голову!

Его это беспокоило. Он хотел понять, почему, — и боялся. Да и возможно ли? Как сложить разнородные ощущения, страхи, надежды, чувства и вывести из них общий знаменатель, у которого найдется короткое и точное определение? Разве такую задачу возможно одолеть?

Радость, — вдруг подумал он. Вот он, знаменатель!

«У человека в душе дыра размером с Бога, и каждый заполняет ее, как может».

Лоран не знал, как ощущают эту «дыру» другие... Может, и не ощущают вовсе?

Но он чувствовал ее. Как рану. Она всегда саднила, почти неслышно, но всегда. Он заполнял ее своим бонвиванством: хорошая еда, хорошее вино, хорошая музыка, хорошая книга и редкие тусовки в Ницце — как бы развлечения с как бы друзьями...

И вот в какие-то последние ничтожные по своей краткости четыре дня он ощутил, что рана стала затягиваться. В присутствии Лизы он испытывал беспричинную радость, которая, как бальзамическая мазь, приносила его душе облегчение...

Радость!

Но от нее было почему-то тревожно и страшно. И он хмурился за рулем, не понимая, что с этим делать.

Завидев указатель на гостиницу, Лоран притормозил. Выше в горах отелей не было: туристов там не водится, некому гостевать. А вот тут, пониже, в приближении к окрестностям Ниццы, появились указатели.

Лоран свернул, и вскоре они оказались у небольшого четырехэтажного здания, весьма простенького. Тем лучше: тому, кто знает Лорана, с его сибаритскими замашками, не придет в голову, что он мог остановиться в дешевой гостинице. А тот, кто не знает его лично, рассудит, что Лоран Бомон, уж если вдруг решил заночевать в отеле, то выбрал его по своему уровню и положению: по статусу доктора.

Женщина за стойкой была сонной и от этого особенно широко улыбалась — казалось, что сдерживает широкой улыбкой зевоту. Без лишних вопросов она оформила гостей (видимо, нечастых в этих местах) как «месье и мадам Бомон» и сняла ключ с крючка в шкафчике.

Комнатулька оказалась крошечной. Двуспальная кровать — точнее, две, сдвинутые вместе, шкаф, малюсенький столик, на нем электрический чайник, рядом — коробочка с упаковками чая и печенья.

Он ожидал, что Лиза будет недовольна такой убогостью, но ошибся. Она осмотрелась и произнесла весело:

— Мы спасены, да?

Лоран вдруг подошел и обнял ее, уткнувшись лицом в ее волосы. Лиза помедлила и осторожно, словно пускаясь в неизведанное, положила руки ему на плечи.

Они не поцеловались — нет, они стояли, прижавшись скулой к скуле, окольцевав друг друга руками. В этом жесте не было ни страсти, ни чувственности. Дружеское, человеческое тепло. И еще нежность. Они плыли в одной лодке; они вдвоем пробирались через темные, опасные

воды беды; и они ощущали единение и доверие
друг к другу...

Боги, как это много!!!

...Лиза вдруг разомкнула руки и отступила
на шаг. У нее было странное выражение лица —
глаза потемнели, брови сошлись над переноси-
цей.

— Что такое, что случилось, девочка?

Она посмотрела на него так, будто неожиданно увидела перед собой привидение.

— Лиз... Извини, я ничего такого не имел в
виду... Я просто так обнял тебя, по-дружески..

— Ты не знаешь... Ты просто не знаешь, Лоран, как все ужасно!

— Ну что ты, малыш, чего ты испугалась?
Все будет хорошо, поверь мне, я чувствую! Память к тебе скоро вернется, и мы найдем твоего
ребенка...

— Я убила человека, Лоран...

* * *

Ксюша с Реми закончили обход очередного
городка, когда позвонил Брюно, пляжный директор.

— Что у вас нового? — напористо поинтересовался он.

И, услышав, что у Реми пока нет ответа на
его вопрос, вспылил. Он-де со своей стороны в
лепешку расшибся, сведения детективу нарыл из
жандармерии, а детектив, такой-рассякой, аванс
получил и в ус не дует!!! Тогда как Брюно нанял
его в надежде на расторопность, потому что

жандармерия сама в ус не дует, и если дело так дальше пойдет, то он, Брюно...

Будь Реми в Париже, он никому бы не спустил подобный тон, но здесь, на юге, люди всегда разговаривали в повышенном регистре громкости и эмоциональности, хоть в радости, хоть в гневе. Средиземноморский темперамент, ничего не попишешь. Бороться с ним бесполезно, это что-то вроде стихийного бедствия.

Реми спокойно объяснил, что в деле появились новые факты, — которые не подлежат разглашению, пардон! — и что он идет по следам преступника. Поскольку дело оказалось сложнее, чем он предполагал, то понадобится еще день-два-три, а если Брюно не желает ждать, то Реми готов ему аванс вернуть.

Пляжный директор-диктатор поутих, поостыл и даже, буркнув извинения, заявил, что будет ждать.

Вот и хорошо.

Они с Ксюшей завернули в какой-то ресторан по дороге: пора перекусить. Реми видел, что Ксюша устала. Не физически, конечно, — тут не от чего было устать, — скорее она все меньше верила, что они сумеют обнаружить следы Лизы в этих местах. Лизы, улетевшей в Италию...

Ей, Ксюше, хотелось чего-то яркого, эффектного. — Вот бы по щелчку пальцев какая-нибудь блестящая догадка свалилась на ее мужа-детектива, и сразу бы все стало ясно, и не пришлось бы таскаться по горным дорогам, от которых у нее противно кружилась голова! В ее романе наверняка так и будет: эффектная догадка — и 151 преступник в кармане!

В реальной же жизни догадки приходят только тогда, когда собраны факты. Нет фактов — нечего логике выстраивать. И сейчас был тот скучный момент расследования, когда факты добываются. Причем трудно добываются и нудно...

— Мы объехали уже несколько городков, — произнесла Ксюша, недовольно ковыряя рыбу.

Рыба меж тем была вкуснейшая, и это вялое ковыряние тоже выдавало настроение его жены — так кошки постукивают хвостом, когда сердятся.

Реми не ответил — вопроса в ее словах не содержалось.

— Ты все еще веришь, что мы найдем следы Лизы?

— Это не вопрос веры. Я только предполагаю. Считаю вероятным, — уточнил он. — С учетом всех странностей.

— Реми... А ты не мог ошибиться, очертив на карте именно эти города?

— Мог.

— Так не лучше ли...

— Не лучше. Если в оставшихся городках мы следы Лизы не найдем, тогда расширим поиск... Ксю, я ведь тебя не заставлял, ты сама вызвалась. Хотела посмотреть, как ведется расследование. Вот, иногда оно ведется и так. Тебе скучно? Ты устала? Давай я отвезу тебя в Ниццу, на пляж.

— Да нет, ты что?!

— Море, солнце... Красота! — проговорил Реми. — Давай, поехали! В качестве ассистентки ты мне не нужна. И я не обижусь. В конце концов, у нас отпуск!

— Реми, ты чего? Ты решил, что...

— Я ничего не решил, Ксю. Я *тебе* предлагаю решить.

Ксюша помолчала. Реми ее не торопил.

— Я останусь с тобой, — наконец сообщила она.

— Надеюсь, ты выбрала то решение, которое тебе действительно по душе, — произнес Реми, делая знак официантке, что готов расплатиться.

Ксюша не узнавала своего мужа. Она была капризулькой, и Реми всегда охотно потакал ее желаниям...

Впрочем, нет, *капризулькой* она не была. Это был ее имидж — даже не избранный ею, а сам по себе сложившийся. В глазах Реми она с самого начала являлась малышкой, ребенком, очаровательным и немного взбалмошным, и ему это явно нравилось. Он с удовольствием ее баловал, и постепенно Ксюше стало казаться, что он едва ли не ждет, чтобы она покапризничала немножко, — так у него возникало больше поводов ее баловать. Вот Ксюша постепенно и вошла в образ ребячливой *капризульки*, который устраивал их обоих.

Но в последние дни Реми стал совсем другим. Он едва обращал на нее внимание, он разговаривал с ней так, словно отдавал приказы, и не терпел не то что капризов, а даже и вполне нормальных ее желаний, если они шли вразрез с его намерениями!

Ксюша собралась было обидеться... Но передумала. Дело просто в том, вдруг сообразила она, что Реми *работает*! Ей еще ни разу не доводилось увидеть своего мужа-детектива во время расследования — таким сосредоточенным, целенаправленным, суховатым, сурово отметающим все постороннее, что мешало его работе...

И Ксюша неожиданно почувствовала, что гордится им.

А покапризничать она еще успеет... Потом.

Им все-таки повезло!

Правда, только к вечеру, когда Реми уже начал сомневаться, стоит ли сегодня продолжать поиски. Но городок под названием Монвердон лежал по пути в Ниццу, в сторону которой так или иначе нужно было возвращаться, и Реми предложил Ксюше заглянуть в него.

— Лавочки уже наверняка закрылись, но мы можем еще зайти в булочные. В Монвердоне заодно и поужинаем. Как тебе мысль?

Ксюша сочла мысль разумной, и вскоре они, поставив машину на опустевшем паркинге местного медицинского центра (он уже закрылся), отправились пешком в сторону центральной площади городка, заглянув в попавшиеся по пути две булочные.

В булочных никто не опознал Лизу по предъявленной фотографии, и они, завидев сияющее огнями кафе, свернули к нему.

Ксюша первым делом направилась в туалет, а Реми подошел к одному из официантов, — в этом кафе работали почему-то только «гарсоны».

— Видел, — кивнул он, рассмотрев фотографию Лизы в телефоне Реми. — Мы ее все видели! Тому уже... — он посоображал, — четыре дня. Клиентов было мало, между обедом и ужином, и мы все обратили внимание на эту красотку! К тому же она была явно не в себе. Спросите вон того парня, видите? Его зовут Пьер. Он обслуживал девушку.

Ксюша появилась вовремя, — иначе бы она ни за что не простила мужу, что он начал без нее. Реми махнул ей рукой, подзывая. Затем взял жену за плечи и направился к Пьеру.

— Нам нужно с вами поговорить... Вот об этой девушке, — показал ему фото Реми. — Вы какие столики обслуживаете? — спросил детектив, давая понять парню, что они собираются приземлиться (или «пристолиться»?) в зоне его обслуживания, что обещало официанту не только заказ, но и чаевые.

Пьер указал на крайний ряд столов под зонтиками и выдал им две карты блюд в добротном кожаном переплете.

— Я буду в вашем распоряжении через пару минут. Выбирайте пока.

— Но вы точно узнали эту девушку? Вы ее видели?

Пьер кивнул, и Ксюша возликовала: нашли!!!

На этот раз она выбирала блюда с энтузиазмом и ела с аппетитом. Глаза ее блестели от предвкушения: Пьер обещал освободиться минут через пятнадцать и рассказать все, что знает!

Наконец официант подошел, присел за их столик. Они услышали немало интересного: о крови на волосах девушки — по ее словам, упала и ударилась, о явно плохом ее самочувствии, об отсутствии сумочки и грязных полосах на щеке... И, самое главное, о том, что Пьер посоветовал ей обратиться в медицинский центр! В тот, возле которого Ксюша с Реми оставили машину!

— Что с ней сталось? — спросил Пьер. — Вы не знаете?

— Нет... Но раз она обратилась к врачу... Надеюсь, что все теперь в порядке.

— Если она до него дошла, — засомневался Пьер. — Я хотел ее подвезти, но она отказалась... А сама еле держалась!

— Думаю, что если бы ей сделалось плохо на улице, то люди бы обратились как раз в этот медцентр, он ведь рядом! Так что имеются все шансы на то, что ей оказали квалифицированную помощь.

— Тоже верно, — кивнул Пьер. — Было бы жалко, если б... Она симпатичная такая... У нее акцент сильный, кстати.

— Да, она русская.

— Русская?! Так ведь она утонула в озере Царицы!

— Пьер, то другая девушка. В России почти сто пятьдесят миллионов жителей, и девушек среди них немало!

— Да, конечно... Просто к нам, в горы, они залетают редко. Хорошо, если эта моя клиентка жива... А почему вы ее ищете? — вдруг встрепенулся Пьер. — Надеюсь, она ничего такого не сделала... плохого?

— Нет, я вас уверяю. Просто она потерялась.

— Ну, удачи тогда...

Реми оставил парню на редкость щедрые чаевые.

Первым делом, несмотря на поздний час в Москве, он позвонил Алексею: незачем больше терять время на поиски Лизы в Италии.

— Кровь на затылке... — задумчиво проговорил Кис. — Сомневаюсь я что-то, что Лиза упала. Ее хотели убить.

— Считать, что произошло два несчастных случая с двумя двоюродными сестрами: одна *нечаянно* разбила себе голову, вторая *нечаянно* упала в озеро, — было бы роскошью.

— Тем более что убийство Ирины вытекает из убийства Лизы. Несостоявшегося по каким-то причинам, как теперь стало ясно... Что теперь думаешь делать? Вернешься к Шарбонье?

— Сначала попробую отыскать Лизу. Возможно, она в опасности. Кто бы ни пытался ее убить, Шарбонье или другой человек, но он может попытаться довести дело до конца!

— Погоди. У тебя же есть контакт в полиции? В жандармерии, точнее. Лиза, если жива, должна была заявить о нападении! А если нет... То у них в морге может иметься неопознанный труп, между прочим... Поинтересуйся.

— Дело говоришь. Чао, остаемся на связи!

— А как там Саша, спроси! И малышня? — завопила Ксюша.

Реми спросил, выслушал ответ и сообщил жене, что у Александры все отлично.

Ксюша обрадовалась хорошим новостям как никогда. Это было очень важно сейчас, когда жуткая реальность подобралась к ней так близко! Убить Лизу — такую симпатичную, такую веселую на фото, — что за изверг мог поднять руку на нее? Да еще и беременную!

Она взяла у мужа телефон, снова открыла фотографию Лизы и посмотрела на ее юное, нежное лицо, на ее радостную улыбку... Так улыбаются друзьям. И от такой улыбки становится хорошо на душе.

«Не бойся, мы тебя найдем! — прошептала она телефону. — И все будет хорошо».

Реми посмотрел на жену. Он не расслышал ее слова, да и произнесены они были по-русски...

— Думаю, что завтра мы ее найдем, — кивнул он.

Не трогаясь с места, Реми тут же набрал номер Брюно. Дал имя: Елизавета Чеботарева — и просил разузнать, имеется ли у жандармерии какая-нибудь информация по ней. О неопознанных трупах он говорить не стал: вопрос бессмысленный. Если ответ будет получен утвердительный, то надо в морг ехать и просить разрешения на этот труп посмотреть. Тогда как жандармерия отнеслась к детективу из Парижа враждебно, замаешься их уговаривать... Или же перебросить жандармам фотографию Лизы, — но объясняться с ними, что да откуда, Реми не желал.

И, самое главное, он не хотел отнимать у Ксюши надежду.

На этот раз Брюно не стал брюзжать, а смиренно пообещал разузнать: урок Реми не прошел даром.

После чего Реми с Ксюшей двинулись в сторону Ниццы.

В отеле они оказались около половины одиннадцатого. Ксюша сразу же села за компьютер — набрасывать мысли и заметки, плоды сегодняшних приключений, а Реми принял душ и завалился на кровать, включив телевизор. Включил на маленькой громкости: уважал литературный труд любимой жены.

Брюно позвонил неожиданно. Реми не ждал от него информации раньше завтрашнего дня, но, видать, «диктатору» не терпелось получить внятное объяснение поскорее: сезон ведь идет, а денежки, ровно наоборот, нет!

Информация, однако, оказалась нулевой: никаких сведений о мадемуазель Чеботарефф в жандармерии не имелось.

— Завтра мне обещали справиться еще в полиции, вдруг у них есть, — пророкотал Брюно. — А если нет, как вы ее искать будете?

— Это уж мое дело, — не стал раскрывать свои секреты Реми.

— Но вы... Вы сумеете? — спросил он с неожиданно робкой надеждой.

— Сумею. Но не ждите, что прямо завтра.

— Хорошо, — вздохнул Брюно.

* * *

— Ты?! — не поверил Лоран.

Она кивнула.

— Но, Лиза, ты ведь ничего не помнишь! Откуда такая мысль? Или к тебе память...

— Это не мысль, это факт. И не в прошлом, а в тот день, когда я очнулась в горах... Я должна была сказать тебе сразу. Прости.

Слезы наполнили ее глаза.

— Не надо плакать, — мягко произнес он. — Просто расскажи.

И она рассказала. Как очнулась в домишке, как мужичок копал для нее могилу, как он говорил по телефону, как она, защищаясь, выставила перед собой лопату и он — он на эту лопату... Прямо горлом... И кровь...

Она прижала пальцы к губам: тошнота мешалась с рыданиями.

— Ну успокойся, все хорошо, — Лоран взял ее за плечи, — успокойся...

Спазмы потихоньку отступили, и Лоран убрал руки с ее плеч.

Лиза поняла этот жест по-своему: он больше никогда, никогда не обнимет ее... Убийцу!

Она уставилась в пол, чтобы не встречаться с ним глазами. Лоран сидел в задумчивости.

— Ох, Лиза, Лиза... — проговорил наконец он. — Почему ты мне сразу не рассказала?

— Мне страшно было признаться, что я убила человека...

— Ты его не убила! Ты всего лишь не дала ему убить себя! И имела на то полное право, по совести и по закону! Тут даже обсуждать нечего, тебе не в чем себя винить! Другое дело, что его труп остался в домике... И его кто-то может найти! А это означает следствие, тебя будут искать... Нужно срочно тело спрятать! Дорогу к этому домику вспомнишь?

— Не уверена. Мне очень плохо было в тот день, я все время теряла сознание...

— Все же попробуем. Пошли в машину.

Лоран вернулся в Монвердон, объехав центр городка по периферии, — не дай бог кто узнает его за рулем, ведь доктор Бомон тут едва ли не каждому жителю известен! — и доехал до крайней улицы, за которой начиналась дикая местность, ведущая в гору.

Покрутившись, он приткнул машину в тени какого-то дома.

— Идем, Лиза. Нужно найти эту хибарку.

Они шли долго. Когда Лиза спускалась, она не замечала развилок: ее манил маячивший внизу город! Но сейчас, когда они поднимались в гору, оказалось, что тропинки ветвятся...

Она несколько раз ошиблась, и прошло немало времени прежде, чем они завидели домик.

— Где именно ты его оставила?

«Его» — это труп мужичка, поняла Лиза.

— Внутри... Я туда не пойду.

— Конечно, — согласился Лоран, потянув на себя дверь.

Эти пастушьи хибарки никогда не запирались. Они встречались в горах то там, то сям и служили пастухам убежищем от прохладных — даже жарким летом — альпийских ночей. По неписаному уставу, каждый туда приносил что мог: еду, спички, керосин для ламп (электричества в них не имелось) и прочие нехитрые вещи, необходимые для короткого отдыха. Стада овец быстро выщипывали траву на одном месте, поэтому пастухи перебирались со склона на склон, с одного холма на другой и от сторожки к сторожке.

Однако случалось, что пастбища в том или ином месте приходили в негодность: то ли скот их сильно вытоптал, то ли солнце выжгло — Лоран не особо разбирался в скотоводческих тонкостях, — и тогда маршруты выпаса менялись кар-

динально. Отчего некоторые сторожки пребывали 161
в запустении и забвении год-другой-третий.

Судя по всему, перед ним была именно такая хибарка, «отдыхающая» вместе с пастбищами. Иначе бы Лиза не только увидела овец, но и собаки почуяли бы ее: каждую отару обычно сопровождало несколько псин.

Дверь легко поддалась, скрипнув. Лиза сжалась в ожидании слов Лорана.

Но он почему-то молчал.

— Что... что там? — не выдержала она.

— Его тут нет...

— А... а где он? — перешла почему-то на шепот Лиза.

— Погоди.

Лоран шагнул внутрь. Нет, он не ошибся: в домике пусто и чисто. Ни трупа, ни следов крови, ни лопаты.

Лоран, с сосредоточенным видом выйдя из сторожки, пошел влево, в сторону скалы, где, по словам Лизы, мужичок копал могилу.

— Лиза... Яма засыпана!

Ноги ее подкосились, и она опустилась на землю.

— Значит, — продолжал Лоран, возвращаясь, — кто-то в ней мужичка и закопал. Ведь яма была пуста, когда ты ее увидела?

— Пуста...

— А теперь заброса́на.

— И... Кто это сделал, Лоран?

Он обернулся к ней.

— Прошло четыре... нет, уже пять дней с того момента, как ты оказалась тут. Нам повезло, Лиза, что твой убийца не сразу среагировал...

— Повезло?

Она ничего не понимала.

Лоран протянул ей руку.

— Ты можешь идти?

— Конечно, — откликнулась она в полной прострации. — Это так, минутная слабость... Я в форме, — соврала она.

Лоран мельком глянул на нее. Он знал, что она говорит неправду. Но не каждая неправда, вопреки расхожему мнению, есть зло. Иная ложь означает уважение к партнеру, Лоран это отлично знал. Так, муж лжет жене, покрывая свои измены, пока он дорожит ею. В тот день, когда он скажет жене правду: да, изменяю! — в тот день он распишется в пренебрежении к ней... и в готовности к разводу. Так друзья лгут, оправдываясь и объясняя, почему не поздравили вас с днем рождения: пока лгут, значит, чувствуют себя виноватыми... Значит, еще уважают вас. Когда друзья перестанут оправдываться — то все, вы им больше не нужны.

В общем, о лжи Лоран мог бы написать целый трактат. А может, еще и напишет.

В данном же случае неправда Лизы означала, что она себя преодолевала. Панику свою преодолевала, физическую слабость, отчаяние, страх... Далеко не всем представителям сильного пола, равно как и слабого, присуще подобное мужество!

— Вот и хорошо, — произнес он мягко. — Пойдем обратно, я тебе по дороге объясню...

...Мужичок этот, без сомнения, маргинал, говорил Лоран на спуске, из бывших пастухов (поскольку отлично знает местность!). Спившийся — такое с ними нередко случается, от одиночества в горах, когда лучшим собеседником становится вино... В силу чего отошел от дел. Тот человек, который хотел убить Лизу, с ним условился о том, что мужичок закопает ее... «Извини, Лиз, твой труп...»

Пастушьих домиков в горах много, но маршруты выпаса стад меняются время от времени: какие-то пастбища приходят в негодность, и пастухи гонят овец в других направлениях, продолжал он. Отсюда Лоран делает вывод, что мужичок сей пастух, хоть и бывший: он отлично знает, где располагаются сторожки, равно как и то, куда в данном году гонят — и не гонят — отары...

Человек, желавший избавиться от Лизы, нанес ей удар по голове, полагая, что смертельный. И поручил маргиналу труп закопать, за что деньги ему заплатил, — это следует из услышанного Лизой телефонного разговора. Лиза, однако, оказалась жива, хоть и в весьма плачевном состоянии... А ее предполагаемый похоронщик и, по совместительству, нежданный убийца... лучше было бы сказать «добийца» — он ведь решил Лизу *добить*... Но такого слова нет во французском языке...

— В русском тоже, — печальным эхом откликнулась Лиза.

...Этот *добийца,* продолжал Лоран, попал на острие лопаты, которую Лиза выставила перед собой, защищаясь. И погиб. Хотя, по сценарию, погибнуть должна была она. Теперь посмотрим на ситуацию глазами заказчика. Он ждал звонка с подтверждением, что заказ выполнен. Сотовый наверняка был мужичку подарком от заказчика: откуда маргиналу разжиться таким аппаратом? Небось заказчик и пользоваться научил... Но это уже детали. Итак, ждал-ждал заказчик звонка с

164 подтверждением, что миссия выполнена, — и не дождался. Он не дергался еще пару дней: мужичок-маргинал сильно попивает, и заказчик знает об этом. На что и сделал скидку.

Но подтверждение так и не поступило. И мобильник мужичка не отвечал. И тогда заказчик решил самолично наведаться в горы, к пустующей сторожке...

— И увидел там труп... — проговорила Лиза.

— И кровь повсюду, — уточнил Лоран. — И он испугался.

— Отчего мужика этого закопал...

— Не вижу других вариантов. Иначе зачем было засыпать яму? Уверен, в ней заказчик и схоронил своего незадачливого исполнителя. С глаз долой. Но...

— Но он понял, что убить его могла только я... И, значит, я жива!

— То-то и оно. Как долго он вычислял траекторию, по которой ты испарилась, я не знаю...

— Да недолго! На моем месте любой бы рассудил, как я: идти вниз! А внизу — твой городок... Несложно догадаться, что с травмой головы я отправилась к врачам...

— Несложно, — кивнул Лоран. — Только теперь он знает, что ты жива. И ты представляешь для него опасность. Поэтому, Лиза, я увез тебя со своей виллы. И, если ты помнишь что-то еще, то сейчас самый подходящий момент это рассказать!

— Лоран, перестань меня подозревать!!!

— Прости.

— Я на тебя не обижаюсь, не думай... Я ставлю себя на твое место и понимаю, что я бы тоже сомневалась...

— Ты ставишь себя на мое место?

— Ну да. А что такого?

— Ничего... И много! Я ведь поначалу собирался стать психотерапевтом, Лиз. И капитально изучил психологию.

— А почему не стал?

— Год проработал с людьми, еще в Лионе, где учился... И понял, что профессия эта почти бесполезна: в большинстве случаев люди не ищут выхода и решения: им нравится быть обиженными на весь мир, и свое состояние обиженности они рьяно охраняют! Оно им куда милее, чем те решения, которые может предложить психотерапевт... Потому что эти решения предполагают искать причину в себе, а не в мире. Меня подкосила безнадежность этой профессии, ее безрезультатность. А лгать пациентам, кивать им согласно на жалобы на несовершенство мира мне было неприятно... Отчего я переквалифицировался во врача общего профиля. Лечить простуду или боли в кишечнике куда результативнее, действеннее. Такие пациенты слушают врача и исполняют предписания. Принять таблетки легче, чем искать причину своих несчастий в себе.

— Понимаю.

— В самом деле?

— Конечно. Твои пациенты, от которых ты отказался в конечном итоге, — их несчастье в том, что они не умеют ставить себя на место другого... Отчего и не могут справиться со своими проблемами. Чтобы увидеть мир во всей полноте, нужно уметь чувствовать других. И заодно видеть себя их глазами. Не так?

— Так, Лиза, так! Только... Откуда ты это знаешь?! Ты сказала, что занималась филологи-

166 ей... Но, может, ты на самом деле училась на психологическом факультете?

— Не помню, Лоран. Я просто сказала то, что понимаю... А откуда это понимание взялось... Бог весть. И я ничего от тебя не скрываю, поверь. Если я не рассказала тебе сразу обо всем... об этих событиях в сторожке... то потому, что я просто побоялась: ведь я убила человека!

— Ты его не убила, Лиза! Он сам наткнулся на лопату, которую ты выставила ради самообороны!

— Хорошо. Так и есть. Он на лопату сам налетел... Это правда.

— И твоей вины в этом нет. Прекрати казниться!

— А если суд? Он тоже так решит? Что моей вины нет?

— Не знаю, Лиз. До суда еще дожить нужно. Пока что человек, который хотел тебя убить, ищет тебя! И вряд ли для того, чтобы поздравить с успешным избавлением от смерти... Давай пока о спасении думать, ладно?

Лиза не ответила. Что тут ответить? Конечно, думать надо о спасении. *До суда еще дожить надо* — **дожить!** — что в данный момент отнюдь не представлялось аксиомой...

На горы уже спустились сумерки, когда они вернулись в отель. Лиза ужинать отказалась — кусок не лез в горло после пережитого в горах потрясения.

В номере, узрев двуспальную кровать, она не стала задавать вопросов. Лоран знает, что делает. А подозревать его во фривольности у нее не имелось никаких оснований. Она проглотила таблетку и легла на одной стороне кровати, укрывшись одеялом до ушей. Ей не хотелось разговаривать и видеть этот мир не хотелось.

Суббота

Девушка на «ресепсьон» медицинского центра мгновенно опознала Лизу по фотографии. Из ее возбужденной речи Реми с Ксюшей узнали во всех подробностях историю о том, как эта «зомби» явилась к ним несколько дней назад и завалилась в обмороке на топчан в кабинете доктора Бомона, который этой незваной пациенткой и занялся. Ее обследовали — оказалось, что у нее серьезная травма черепа, в результате чего доктор Бомон отправил ее в больницу...

— И самолично поехал ее сопровождать! — чуть обиженно произнесла девушка.

Похоже, что она не прочь была бы оказаться на месте «зомби», — лишь бы только доктор Бомон занялся ею!

— В каком кабинете принимает доктор?

— В пятом. Но его нет сегодня. Он заболел. Позвонил и отменил все приемы! Пришлось обзванивать всех его пациентов! — пожаловалась она.

— Хм... — Реми эта информация насторожила. — А в какую больницу отправили вашу «зомби»?

— В нейрохирургию.

— Это где?

— Да у нас тут только одна... Вот, держите адрес, — и она протянула Реми распечатку.

— Эта девушка все еще там?

— Не знаю, — равнодушно пожала плечами администратор.

— Мне бы хотелось переговорить с доктором Бомоном. Как это сделать?

— Я не могу вам дать его телефон без разрешения...

— Тогда позвоните ему сами и передайте мне трубку.

Реми представился и скупо пояснил, что речь идет о безопасности Лизы, его пациентки, в связи с чем попросил разрешения записать номер телефона доктора, чтобы переговорить с ним чуть позже без посторонних ушей.

Доктор Бомон довольно долго молчал.

— Кто вас нанял? — спросил он вдруг.

— Ее мать, — не дрогнув, солгал Реми. Не объяснять же сейчас доктору всю историю ab ovo!

— А как мне быть уверенным, что вы действительно частный детектив? — наконец прорезался он. — И что у вас нет дурных намерений?

К такому повороту Реми не был готов. Доказывать что-то доктору, когда рядом сидит болтливая администраторша, ушки на макушке, он не хотел... И вдруг нашелся.

— Передаю трубку моей жене.

«Он боится за Лизу и мне не доверяет. Убеди его!» — шепнул он Ксюше.

— Меня зовут Ксения. Мой муж Реми действительно частный детектив, — произнесла Ксюша. — Я русская, как и...

— Не произноси имя! — быстро прошептал Реми.

— ...как и ваша пациентка. Могу я с ней поговорить?

Снова на том конце воцарилось молчание. Любопытные глазки администраторши так и сверкали.

— Хорошо, запишите мой номер, — ответил наконец доктор.

Итак, Лиза жива! И доктор, похоже, имеет основания опасаться за нее... Значит, Реми с Ксюшей на верном пути!

Они отошли от медицинского центра на приличное расстояние, и Реми перезвонил доктору. Тот по-прежнему осторожничал и предложил встретиться в кафе на центральной площади соседнего городка. О своей болезни он не обмолвился ни словом, и Реми укрепился в мысли, что это был выдуманный предлог. А настоящий в том, что Лиза...

Ну, посмотрим.

Реми сразу догадался, что молодой мужчина весьма приятной наружности в светлых брюках и рубашке и есть доктор Бомон: он стоял с краю от столиков с настороженным видом и вглядывался в лицо каждого человека, который направлялся к кафе. В руке его был зажат телефон.

Похоже, что доктор тоже опознал детектива. В ответ на его вопрошающий взгляд детектив набрал номер — и точно, сотовый тут же зазвенел в руке Бомона. Они кивнули друг другу, и доктор стремительно приблизился к Реми с Ксюшей.

— Давайте отойдем отсюда подальше! — произнес он вместо приветствия и зашагал по улице.

Вскоре их взгляду открылся небольшой сквер, и Бомон свернул в его сторону.

Наконец они присели на скамейку. Первым делом доктор придирчиво изучил удостоверение детектива, затем попросил документы у Ксюши.

— Как вы меня нашли? — спросил он с тревогой в голосе, покончив с документами.

Реми пояснил.

— Выходит, и этот тип тоже так мог! А я-то гадал, каким образом он пронюхал, что Лиза у меня...

— У вас дома? — спросил Реми.

— С ней все в порядке? — спросила Ксюша.

— Минутку!

Доктор принялся куда-то звонить. Впрочем, сразу же стало понятно, что в свой медицинский центр: он просил администраторшу вспомнить, не интересовался ли кто им в последние три дня.

Выяснилось, однако, что нет.

— Значит, через больницу... Иначе я не вижу, как он мог... — пробормотал доктор.

— Так что с Лизой? Где она?

— Я хотел бы сначала услышать, каким образом мать Лизы, живущая в России, наняла детектива во Франции.

Пришлось Реми извиниться за свою маленькую неправду и рассказать об утопленнице, которая приходилась Лизе кузиной, о своих поисках...

Доктор хмурился, слушая.

— Кому понадобилось убивать двух кузин? Может, это русская мафия?

— Мне нужно услышать от Лизы, что с ней приключилось. Кто ее ударил, при каких обстоятельствах? Или она сама упала? К кому она приехала во Францию? Пока я не получу ответы на эти вопросы, любые выводы будут преждевременны!

— Вы их не получите, — сообщил доктор. — У Лизы посттравматическая амнезия, она не помнит, что с ней случилось.

— Ме-ерд, — тихо выругался Реми и расстроенно посмотрел на Ксюшу. — И как долго она может продлиться?

— Трудно сказать. Я надеюсь, что в ближайшие дни память к ней вернется. Но гарантировать не могу. Никто не может сказать наперед, как будет развиваться амнезия.

— Нам все равно нужно увидеться с Лизой, — произнесла Ксюша, которая до сих пор в разговор не вмешивалась. — Вдруг она узнает Ирину по фотографии? Вдруг что-то вспомнит?

— В любом случае, доктор... Как вас, кстати, зовут?

— Лоран.

— В любом случае, Лоран, — продолжил Реми, — я должен узнать от вас все, что знаете вы. Лиза, похоже, в опасности. И, судя по вашему поведению, вы тоже так считаете... Не здесь же нам разговаривать, на лавочке!

— Поехали! — встал Бомон. — Но имейте в виду, волновать Лизу нельзя.

— Еще бы, — вздохнула сочувственно Ксюша, — она ведь беременна...

Доктор покосился на Ксюшу, и ей показалось, что он что-то собирался сказать... Но промолчал. Только садясь в машину, он вдруг произнес, ни к кому специально не обращаясь, сделав ударение на последней части фразы:

— Все обсудим *на месте*.

Через полчаса они уже были в гостинице. «Скрываются. Похоже, дело совсем паршиво», — подумал Реми.

Лоран первым вошел в номер: чтобы предупредить Лизу о гостях. Минуту спустя он распахнул дверь перед Реми и Ксюшей.

На кровати сидела девушка. Густой ворох русых волос, испуганный — несмотря на предупреждение доктора — взгляд широко расставленных светлых глаз.

— Не волнуйся, — ласково проговорил доктор, — это частный детектив и его жена. Она, к слову, тоже русская. Знакомьтесь.

Лиза поднялась с кровати, глядя на Ксюшу.

— Вы русская?..

— Да... — начала было она, как вдруг запнулась, увидев стройную фигуру Лизы. — Погодите, но ведь вы...

«...Должны быть беременны», — хотела сказать она, но слова застряли в горле. Или Лиза уже родила, преждевременно? Но в комнате ребенка не было...

Вот почему доктор покосился на Ксюшу, когда она произнесла фразу о беременности Лизы! И вот что он имел в виду, сказав «обсудим на месте»: *сами увидите*!

Ксения посмотрела на мужа, словно прося о помощи.

Реми тоже задавался этим вопросом, запоздало ругая себя за то, что не спросил у официанта в кафе насчет беременности его *странной* клиентки.

На некоторое время в комнате зависла тишина — только вопрос витал в ней, бесшумно помахивая крылышками.

Лиза догадалась первой, что за вопрос такой летает тут.

— Я уже родила... — тихо проговорила она.

— Но у вас срок был только семь... ну, уже побольше... месяцев! Не доносили? — выпалила Ксюша и тут же обругала себя за бестактность.

Лиза растерянно посмотрела на Лорана.

— Я ведь вас предупреждал: у нее потеря памяти.

— А ребенок... — осторожно начала Ксения, — он...

Она не хотела произносить ужасные слова *не выжил* и замолкла, не закончив фразу.

Лоран понял недосказанное.

— Где ребенок, это нам тоже хотелось бы знать... — Взяв в руки по стулу, он расставил их по сторонам кровати. — Присаживайтесь! — Сам он устроился на кровати рядом с Лизой. — Чувствую я, что разговор у нас выйдет долгим...

— Нет, — вдруг заявил Реми. — Прежде всего объясните, почему вы расспрашивали администратора медицинского центра о звонках? Почему находитесь в гостинице? Вы скрываетесь от кого-то?

— Тогда мне придется начать с конца...

Услышав рассказ о «ночном госте», Реми задумался на несколько секунд, а затем спросил с неожиданным напором:

— Как вы зарегистрировались здесь? На какое имя?

— Месье и мадам Бомон, по моему удостоверению личности... — ответил доктор, и вдруг по

174 лицу его пробежала тень. — Господи, какой же я дурак! Он может нас найти!

— Реми, но под какой же фамилией они могли еще зарегистрироваться? — заступилась за доктора Ксюша. — Ведь нужно было документы показать! Хорошо еще, что у Лизы не спросили!

— Тем не менее нужно отсюда срочно выезжать! Собирайте вещи, — обратился он к Лорану. — Мы будем ждать вас внизу. А разговоры разговаривать будем уже на новом месте.

Лиза с Лораном вскоре спустились. Реми подошел к ним.

— Ваша машина где?

— Это не совсем моя... Я решил ее сменить, мало ли. Отвез ее в наш авторемонт, мне дали другую на это время.

— Правильная мысль. Но плоха она тем, что может прийти в голову не только вам... Машина здесь?

— Да, на стоянке.

— А стоянка...

— На заднем дворе.

— Выезжайте первыми. Я проверю, нет ли слежки.

Слежки не обнаружилось, и вскоре Реми, нагнав машину Лорана, пристроился перед ним, показывая дорогу, — поскольку направлялся в свой отель.

Добравшись до места, он оставил компанию поджидать в сторонке, а сам переговорил с администратором. Что-то передал ему через стойку, и вскоре *два брата Деллье с супругами* проследовали в номера.

— Вот это да!.. — подивился Бомон. На братьев они, прямо скажем, нисколько не смахивали. — Как вам это удалось?

— Сто евро, — хмыкнул Реми, отпирая дверь в свой номер. — К слову, с вас половина.

— С меня все, — заявил Лоран, отпирая дверь в свой номер.

— Сбор через полчаса в нашем номере! — возвестил Реми.

Разговор и впрямь грозил оказаться очень долгим. Каждый рассказывал, что знал, а Лиза жадно слушала.

На фотографию Ирины она отреагировала без эмоций: «Мне кажется, я знаю эту девушку... Но не помню, кто она».

Зато когда Реми упомянул о визите Шарбонье в Москву, Лиза вдруг вскочила со своего места.

— Шарбонье, — возбужденно проговорила она, — Шарбонье! Он... Она... Анн... Они... Сашенька! Сашенька!..

Лиза вдруг начала задыхаться. Побелев, она хватала воздух ртом, силясь что-то произнести.

— Тишина! — крикнул доктор.

Он подскочил к Лизе, ухватил ее за руки и повел к кровати.

Она переставляла заплетающиеся ноги, словно пьяная, и вдруг, не дойдя полшага до постели, стала падать.

Лоран подхватил ее, осторожно уложил. Бросился к окну, распахнул его настежь.

— Выйдите из комнаты, выйдите! — махнул он рукой растерянным Ксюше и Реми.

Снова бросился к Лизе, приподнял ее веко, прощупал пульс. «Лиза? Лиза?!» — повторял он, осторожно похлопывая ее по щекам. Затем схватил свой чемодан, вытащил из него какой-то флакончик, отвинтил крышку и сунул его под нос Лизе.

Через несколько секунд девушка открыла глаза.

— Мон дьё... — Лоран опустился на край кровати, будто силы покинули его. — Я думал, что...

Ксюша с Реми все еще стояли у двери, словно собирались выйти, да забыли, что собирались.

— Обморок, — посмотрел на них Лоран. — Просто обморок! Я боялся, что открылось кровотечение... Но это просто обморок! — повторил он со счастливым видом.

— Лоран... — прошептала Лиза, — Лоран, я, кажется, все вспомнила...

— Тсс, ни слова, ни слова! Ты сначала отдохнешь, успокоишься, а потом уже все расскажешь. Хорошо? — ласково склонился он к девушке.

— Нет, сейчас! Это очень важно! Дай мне рассказать сейчас, пожалуйста!

— Не спорь! — строго произнес он. — Ты помнишь, что я тебе объяснял об опасности сильных эмоций?

Лиза кивнула. Доктор покопался в своей сумке, извлек из нее небольшой мешочек на молнии, откуда выудил упаковку таблеток. Он уже собрался ее открыть, но передумал и достал другую упаковку.

— Выпей это, — поднес он Лизе стакан воды с маленькой таблеткой.

Она послушно проглотила и откинулась на подушку. Лоран стоял и смотрел на нее. Лиза улыбнулась ему.

— Сейчас заснет, — шепнул доктор. — Это снотворное очень быстро действует...

Спустя несколько минут он закрыл окно в комнате, задернул занавески и присоединился к Реми с Ксюшей. Лоран предложил продолжить беседу в его комнате, куда они и отправились.

Ксюша с Реми были раздосадованы, что не услышали рассказ Лизы, но ничего не попишешь — доктор Бомон оставался непреклонен.

— Кто этот Сашенька, которого Лиза упомянула? — спросила Ксюша.

— Она помнит, что назвала так своего новорожденного ребенка, мальчика.

— Ага... — кивнул Реми, усаживаясь в кресло. — Пожалуй, я теперь, после всего услышанного, могу свести воедино разрозненные события, даже если многие фрагменты пока неясны. И у меня есть гипотеза, кто пытался убить Лизу... И зачем. И где находится ее ребенок.

— Рассказывайте! — воскликнул Лоран. — Я тоже хочу это знать!

...Итак, Шарбонье познакомились с Лизой в Москве, принялся повествовать Реми, когда она сдала им квартиру и согласилась стать их гидом. Для нее это было не только интересно финансово

178 (ведь иностранцы платят дороже!), но и отличной возможностью попрактиковаться во французском языке.

Они подружились. По крайней мере, так казалось Лизе... Супруги Шарбонье, видя ее бедственное положение (беременна, не замужем, студентка, с матерью отношения прохладные), предложили ей отдохнуть, набраться сил, поесть свежих фруктов, побыть на свежем воздухе... ну, что-то в таком роде — за границей. Пригласили к себе на виллу? Думаю, да. Хотя пока не стану утверждать, что это было дальновидным планом супругов, — возможно, в тот момент они искренне прониклись симпатией к Лизе.

Лиза, однако, почему-то улетела в Италию, это мы уже установили. При этом знакомых у нее там нет, и отель она не заказывала. Пускаться в авантюру в незнакомой стране да в ее положении (беременность около семи месяцев) было бы безумием. К тому же она знает французский, а итальянский — нет.

Зато до Италии отсюда рукой подать. И во Франции у нее знакомые есть: чета Шарбонье, милые заботливые друзья. Съездить за ней в аэропорт Турина ничего не стоило...

Тот факт, что Лиза все-таки обнаружилась по французскую сторону границы, подтверждает, что приехала она именно к Шарбонье.

Следует ли делать вывод, что супруги специально предложили ей прилететь в Италию, чтобы замести следы, поскольку уже планировали преступление? Пока воздержимся. Все могло оказаться проще: билет до Турина стоил дешевле.

Но месье и мадам Шарбонье утверждают, что Лиза к ним не приезжала. Значит, у них имеются причины это скрывать.

— Думаете, это они пытались убить Лизу? Но зачем?! — перебил детектива Лоран.

— Погодите, сейчас дойдем и до этого. Итак, мы знаем: Лиза приехала именно к Шарбонье в гости. Беременная. Мы знаем также и то, что за время пребывания в их доме у Лизы, на восьмом месяце, случились преждевременные роды.

По большому счету, Лиза должна находиться в «матернитэ», в родильном отделении вашей клиники, вместе с малышом. Или, если все в порядке, то дома у своих добрых друзей, верно, доктор? Однако она обнаружилась в горах с разбитой головой, и какой-то тип, как вы нам рассказали, собирался ее похоронить в выкопанной им яме. Ребенок же при этом отсутствует... Зато у Шарбонье в доме как раз присутствует младенец! Факт третий.

— Думаете, это Лизин?!

— Предполагаю. Вы не знакомы с доктором Шарбонье?

— Нет. Он живет, по вашим словам, в Руже-ре, это довольно далеко от меня. Но фамилию слышал... Он, кажется, гинеколог.

— Точнее, гинеколог-акушер, как большинство гинекологов в нашей стране. АКУШЕР, подчеркиваю. Он мог легко принять роды у Лизы дома, и даже... Это только гипотеза, но тем не менее: он мог преждевременные роды спровоцировать!

— Чтобы... Вы хотите сказать, чтобы завладеть малышом?

— Я не видел в доме у Шарбонье других детей. Конечно, это не означает, что их не существует в природе. Их могли отправить куда-нибудь на каникулы. Но не исключено, что эта пара бездетна и попросту решила завладеть младенцем, — таких историй сотни, если не тысячи!

— Значит, билет в Италию... Это не случайно! Лоран вскочил и зашагал по тесному номеру.

— Они не хотели, — продолжал доктор, — чтобы границу Франции пересекла беременная женщина! Приехавшая к тому же к ним в гости! Ведь им бы пришлось оформлять для нее приглашение... А там указываются все данные, и приглашающей стороны, и приглашенной! Это преднамеренно, Реми! Они с самого начала собирались завладеть ребенком! А Лизу убить!

— Я бы не стал так торопиться в выводах. Хотя нас с Ксенией насторожил еще один странный момент: в Ружере никто Лизу не видел. Это означает, что в город девушка не выходила, все время оставалась на вилле, хотя гостила она у Шарбонье почти месяц...

— Вот почему у нее такая белая кожа, и это при нашем-то солнце! — возбужденно проговорил Лоран. — Ее держали взаперти! Они Лизу не выпускали с виллы, чтобы никто не узнал, что у них гостит беременная женщина из России!

— Или она неважно себя чувствовала... — возразил Реми.

— Вы сами верите в то, что говорите? — посмотрел на него Лоран в упор.

— Нет. Но исключить такой расклад тоже нельзя.

— А тот факт, что ее ударили по голове?

— Лоран, — вступила Ксюша, — а вдруг это несчастный случай? Мало ли, Лиза упала, удари-

лась головой, а они испугались, что она умерла...
Потому и нам с Реми солгали, что Лизу в глаза
не видели... Вот Лиза проснется и расскажет
нам, как было!

— И вместо того, чтобы вызвать врачей и
жандармерию, Шарбонье отвезли ее в горы?
И поручили какому-то бомжу ее закопать?! Ну,
нет, все это было преднамеренно, и в обратном
вы меня не убедите!

— Я и не собираюсь, — усмехнулся Реми. —
Я связал между собой кусочки информации, вы-
строил из них цепочку. А вы делаете выводы,
которые напрашиваются.

— А вы их не делаете, нет? — с напором проговорил Лоран.

— Я тоже, коль скоро выводы «напрашиваются»... Просто я осторожнее. У нас есть пробе-
лы в информации, отчего трактовка каких-то событий может оказаться неверной.

— Вы сами сказали: Лиза прилетела к Шарбонье — это раз; они при этом сделали все, чтобы ее никто не увидел, не узнал о ее существова-
нии, — два; у Лизы случились преждевременные
роды — три; ее ребенок у Шарбонье — четыре!
И пять: Лизу собирались закопать в горах, с глаз
подальше! Какая тут еще *трактовка* возможна?!

— Например, что Лизин малыш умер во время
родов. А в доме Шарбонье находится их собственный ребенок, — спокойно ответил детектив.

— Между прочим, у Лизы нет молока. И это
довольно странно. По ее конституции... я хочу
сказать, что у нее хорошо развитое, здоровое тело... Молоко должно было прийти!

— Я не уловил, — признался Реми. — Что из
этого следует?

— Ей сделали укол, чтобы остановить лактацию! Потому что они хотели отобрать у нее ребенка!

— Или потому что он умер... — тихо напомнила Ксюша. — А у Шарбонье в доме их собственный...

Некоторое время висела тишина. Лоран открыл мини-бар и достал оттуда мини-бутылочку с виски. Плеснул себе и вопросительно посмотрел на своих собеседников. Ксюша и Реми отказались.

Добавив в стакан льда, Лоран, отпив, произнес:

— Тогда надо узнать, рожала ли мадам Шарбонье, как ее...

— Анн.

— Я завтра же попробую навести справки!

— Отличная мысль. Это уже будет факт. А не наш домысел... Пока вернемся к человеку в вашем саду. Вы его не разглядели, я понял. Но можете сказать, высокий был человек или среднего роста?

— В какой-то момент он распрямился... да, высокий.

— Винсент Шарбонье тоже высокий.

— Но зачем ему было следить за Лораном, если, как ты говоришь, он считал, что Лиза мертва и похоронена? — удивилась Ксюша.

— Ты забыла, Лоран нам рассказал, что они с Лизой вернулись к сторожке, а там...

— А, да! Значит, это сделал Винсент Шарбонье: и домик прибрал, и от трупа мужичка избавился?

— Больше некому. Любой другой человек вызвал бы жандармов, и тогда...

— И тогда бы Лоран с Лизой увидели желтую ленту, которой обычно огораживают место преступления!

— То есть он понял, что Лиза жива! И разузнал через знакомых — он ведь врач, у него должны быть знакомые в больнице! — что занимаюсь русской пациенткой я, — добавил Лоран.

— И он забрался на виллу, чтобы... Убить Лизу? — спросила Ксюша.

— Или чтобы своими глазами увидеть ее живой и невредимой, — строго ответил детектив, верный своему принципу.

— Да ладно вам, Реми! — Лоран покрутил стакан, и кубики льда звонко застучали по стеклу. — Вы ведь понимаете, что живая Лиза для него опасна! Даже если он в курсе, что у нее посттравматическая амнезия, он ведь отлично понимает, что память может к ней вернуться в любой день! И тогда она все расскажет.

— Из этого не следует, что он забрался в ваш сад с намерением Лизу убить! — рассердился Реми.

— Ага, — ехидно отозвался Лоран, — он желал лишний раз полюбоваться ее стройной фигурой!

— Это могло быть всего лишь разведкой. С тем, чтобы подумать, как дальше быть...

— Как получше Лизу убить! Нет, *убрать*, это так называется!

Лоран снова разогнал звонкие кубики в стакане.

— Весьма вероятно. Тем не менее он вас не выследил до первой гостиницы. Я внимательно смотрел по сторонам и когда мы ехали туда от

184 медицинского центра, и когда я забирал вас из отеля: слежки не было!

— Потому что он нас потерял! Мы выехали с виллы на рассвете, он нас просто упустил!

— Если бы он решил Лизу *убрать*, то вряд ли покинул бы свой пост... Когда у нас будет вся информация на руках, мы узнаем точно.

— А когда она у нас будет?

— Я надеюсь, что Лиза... Как долго она спать будет?

— До утра.

— Значит, завтра она нам расскажет то, что вспомнила. А недостающее восполнит жандармерия.

— Ну что ж, подождем. И вы увидите, что я прав!

— Я в этом почти не сомневаюсь.

— *Почти!* — усмехнулся Лоран. — Вы непробиваемы, господин детектив.

— Я просто люблю логику. А для нее нужны факты. Проверенные.

— Ладно, ваша взяла... Погодите, а как это связано с другой русской девушкой? Которая в озере утонула? Вы сказали, что вышли на Лизу в связи с расследованием этого преступления!

Реми описал, как они с Ксюшей поднялись на скалу и убедились в том, что девушку столкнули в воду. Как в кафе на центральной площади Вилльгарда они узнали, что за Ириной приезжал на машине «Пежо-307» мужчина. Машину эту пока установить не удалось. Возможно, она принадлежит Анн Шарбонье...

— Не думаю, — перебил его Лоран. — Она бы купила себе тачку попрестижнее: гинеколог-акушер, имеющий частный кабинет, зарабатывает очень хорошо, и вообще люди тут живут небедные. Да и Ницца недалеко: ее миазмы доходят и до нас.

Ксюша при слове «миазмы» взглянула на доктора повнимательней. В этом слове содержалась негативная оценка, за которой, соответственно, стояла точка зрения. Явно отличная от большинства, которому хорошо то, что престижно.

— В таком случае он мог взять машину напрокат. Или рассудить точно так же, как и вы, Лоран: поехать в автомастерскую и взять машину на время ремонта! Много их там у вас?

— Вряд ли. Я знаю две. Тут ведь население невелико: сколько вилл, столько и семей.

— Неважно, жандармерия этот «Пежо» найдет.

— Надеюсь. Но продолжайте, прошу вас...

...Поиски так бы и зависли на том, что Ксюше удалось разузнать в кафе, вновь заговорил Реми, но на следующий день в полицию Ниццы обратился молодой человек, друг Ирины, и заявил о ее пропаже. По его словам, она уехала к *кузине*. И детектив принялся за поиски оной кузины: иначе бы он не смог докопаться до причин гибели Ирины и до убийцы.

Теперь же картина полностью вырисовывается: накануне Ирина с Лизой созвонились и договорились о встрече. Этой же ночью Лизу с проломленной головой Шарбонье отвез в горы и велел мужичку закопать труп. Почему он решил, что Лиза мертва, мы пока не знаем.

На следующий же день встал вопрос о кузине, которая собиралась навестить Лизу... А Лизы-то уже нет! Он нашел номер Ирины в телефоне Лизы и позвонил ей. Предложил встретить на центральной площади.

— Лиза и сама могла предложить, еще накануне! — вмешалась Ксюша. — Тут ни за что не найти нужный дом! Шарбонье мог сразу вызваться встретить Ирину на площади и привезти к Лизе! Только на следующий день его планы изменились...

— Или он сразу так и планировал! — заметил Лоран.

— Возможны все варианты, — согласился Реми. — Как бы то ни было, он заманил Ирину на скалу и столкнул ее в озеро.

— Одно убийство потянуло за собой другое... — произнес доктор. — Существуют дороги, с которых невозможно свернуть, единожды ступив.

На этой фразе он снова удостоился любопытного взгляда Ксюши.

— Это ловушка, в которую довольно часто попадают недальновидные преступники, — кивнул Реми.

— Что-то вы на этот раз обошлись без своих любимых слов: «полагаю-предполагаю»! — иронически заметил Лоран.

— В данном случае я не вижу никакой иной возможной трактовки фактов. Ирина направлялась к Лизе, это факт. Приехать за нею на площадь и окликнуть по имени мог только Винсент Шарбонье. И мотив имелся лишь у него.

— Вы хороший сыщик, Реми, — поднялся Лоран. — Если у меня когда-нибудь возникнет нужда, я непременно обращусь к вам!.. Не пойти ли нам поужинать, а?

Время подкатило к одиннадцати вечера — стандартный час закрытия большинства французских ресторанов, — и им предложили только холодные закуски, поскольку плита уже была выключена и даже вымыта.

Они наскоро поели и вернулись на второй этаж. И только тут сообразили, что Лиза спит в номере Ксюши и Реми.

— Давайте я перенесу ее на руках, — вызвался Лоран.

Реми окинул взглядом его фигуру: пожалуй, сможет.

— Зачем такие сложности? — ответил он. — Оставайтесь в нашей комнате, а мы переночуем в вашей. Только возьмем свои вещи, а вы заберите ваши.

Когда закончилось переселение, а также обмен ключами и пожеланиями спокойной ночи, Реми вдруг остановил доктора.

— Нужно условиться назавтра. В котором часу сбор?

— Давайте в девять, за завтраком.

— Не годится. Лиза ведь должна рассказать нам то, что вспомнила, — это не для посторонних ушей!

— Хорошо, тогда в половине десятого приходите к нам.

— Идет. А часов в одиннадцать двинем в жандармерию.

188   Лоран, который уже открывал дверь, вдруг выпустил ручку и уставился на детектива.

— Вы сказали: в *жандармерию*?!

Реми приложил палец к губам, давая понять, что доктор говорит слишком громко. Затем жестом пригласил его проследовать в комнату.

— Что вас так удивило? — спросил он внутри, плотно закрыв дверь. — Я ведь уже об этом говорил: мы должны сообщить о покушении на Лизу! И всю информацию, связанную с убийством Ирины... Кроме того, только официальное следствие сможет провести обыск у Шарбонье, сделать генетическую экспертизу, чтобы установить, чей ребенок находится в их доме, найти «Пежо-307», провести аутопсию трупа пастуха — словом, восстановить полную картину событий!

— То есть Лиза должна рассказать о том, что она убила этого клошара[1]?

— Она защищала свою жизнь.

— Ее все равно могут приговорить! «С учетом смягчающих обстоятельств»!..

— Сомневаюсь.

— Вы только и делаете, что сомневаетесь, месье детектив! А точно сказать вы можете?!

— Нет. Доводить ли дело до суда, это будет решать следователь прокуратуры. Но вы ведь засвидетельствуете — помимо рассказа самой Лизы, — что она находилась в пограничном состоянии сознания... или как там у вас это называется!

— А если они все-таки решат передать дело в суд?

---

[1] Бомжа.

— Лоран, чего вы от меня хотите? Гарантировать я ничего не могу — я частный детектив, а не прокурор. Но не сообщить обо всех этих событиях мы не можем! Более того, это единственная гарантия безопасности Лизы: если Шарбонье вынашивает планы по устранению Лизы, то остановить его может только арест!

Лоран молча покачал головой. Затем наклонился к холодильнику, выудил из него еще одну маленькую бутылочку виски и в точности повторил недавнюю процедуру — с той лишь разницей, что на этот раз он никому напитки не предложил.

— Послушайте, не стоит воспринимать все так мрачно! — проговорил Реми, подходя к холодильнику.

Виски там больше не было, зато обнаружилась водка в такой же маленькой бутылочке. Он отлил половину в стакан, добавил апельсинового сока.

— Тебе налить, Ксю?

Ксюша помотала головой. Ситуация напрягалась, и ее это беспокоило. Она очень хорошо понимала опасения Лорана, но... Но и Реми был прав! При этом мужчины никак не желали прийти к согласию, и это было очень обидно.

Реми отпил и сел у стола, Лоран устроился в кресле по другую его сторону.

— В крайнем случае, Лоран, — подчеркиваю, в крайнем! — вы найдете ей хорошего адвоката. Вы человек небедный, а Лиза, как мне показалось, вам небезраз... Впрочем, это меня не касается.

Лоран саркастически засмеялся и, приподняв

стакан, словно чокался с детективом в воздухе, произнес:

— Она мне небезразлична, верно. Именно поэтому мы с ней никуда не пойдем! Я куплю ей билет в Москву... И себе тоже! Она моя пациентка, я обязан проследить за ее восстановлением! — снова засмеялся он.

— Если Лиза скроется от следствия, то уже никогда не сможет вернуть своего ребенка, имейте в виду. Шарбонье сядут за решетку, оба. Но мальчик попадет в детский дом. А там его усыновит какая-нибудь семья... Вы даже не сможете узнать, кто именно.

— *Сашенька*... Лиза все забыла, даже в своем имени не уверена, но помнит, как назвала сына! — Лоран, прищурившись, посмотрел сквозь стакан на настольную лампу. — А если Лиза окажется за решеткой, куда попадет Сашенька?!

Он умолк, допивая виски. Ему никто не ответил: вопрос был риторическим, ответ на него знали все: туда же.

— Как только Лиза проснется, — вновь заговорил доктор, — мы отсюда уедем. Надеюсь, вы нам препятствовать не будете?

— У меня нет такого права, — устало произнес Реми.

— Хоть в этом мне повезло! — съязвил Лоран и встал. — Полагаю, что нашу беседу можно считать законченной.

Реми ответил не сразу. Он бы предпочел вовсе не произносить этих слов, но...

— Дело в том, что я... Лоран, я обязан сообщить органам правопорядка о преступлении, о котором мне стало известно. ОБЯЗАН.

— Иными словами, даже если мы с Лизой не пойдем в жандармерию, то вы пойдете без нас?

— У меня нет выбора.

— Выходит, я должен пожалеть о том, что доверился вам?

— Это вам решать, — сухо ответил Реми.

Ксюша прижала ладони к лицу. Муж был прав, и Лоран был прав... Оба они были правы, и непонятно, совершенно непонятно, как обе правды примирить! И это было невыносимо.

— Реми, — прошептала она из-под рук, — Реми, а вдруг Лизу действительно отдадут под суд?!

Но он не ответил. Ему не в чем оправдываться. Он намеревается сделать то, что *надлежит* сделать. И по закону, и по совести!

Лоран направился к двери.

— Спокойной ночи, Реми, спокойной ночи, Ксения. Не говорю: «до встречи», поскольку надеюсь с вами больше никогда не встретиться...

С этими словами он покинул их комнату.

Ксюша проводила его глазами. Ей хотелось догнать его, объяснить, что муж просто выполняет свой долг, что нужно это понимать, что нельзя, неправильно на него обижаться!

Но она осталась сидеть на месте. Бесполезно. Лоран спасает Лизу — так, как он это понимает, — что вызывало у нее отчасти восхищение... И одновременно — обиду. За его непонимание Реми. Он умный парень, этот Лоран, он должен был понять, что...

Нет, бесполезно. Все знают — и она, и Реми, и Лоран, — что следственные органы могут ошибиться, что могут оказаться пристрастны... Передач вон по телевизору сколько о судебных ошибках!

— Реми, — произнесла она тихо, — Реми, Лоран прав. По-своему, но прав. Он оберегает девушку, которую любит.

— Ксю, ты мне открыла истину! — хохотнул муж.

— Не обижайся на него.

— Я не обижаюсь.

— Но ты был так... так холоден с ним!

— А мне следовало встать на колени, что ли?

— Нет, конечно...

Ксюша растерянно умолкла. Реми допил водку с апельсиновым соком и встал.

— Нам придется рано вставать, мон кёр, — он посмотрел на часы. — Уже за полночь. Лиза может проснуться очень рано, ведь Лоран дал ей снотворное в... Кажется, это было около восьми вечера, а?

— Примерно.

— Восемь плюс восемь, итого четыре утра. Возможно, из-за снотворного она проспит дольше, до пяти. Но я уверен: как только она проснется, Лоран начнет собираться. А нам нужно выехать им вслед.

— Ты собираешься следить за ними?!

— Пока Шарбонье на свободе, я безопасность Лизы гарантировать не могу, Ксю.

— То есть... Ты собираешься их охранять?

— И следить, и охранять. Чтобы не натворили глупостей.

— Лоран сказал, что возьмет билет в Москву! Там их Шарбонье вряд ли достанет!

— Ты забыла, что у Лизы нет документов?
Какой билет, к черту?

— Ох... А Лоран об этом не подумал!

— Подумает, когда поостынет... И начнет искать, где спрятаться, где Лизу спрятать. А я должен знать, где!

Ксюша подошла, обняла мужа за крепкую загорелую шею и прижалась щекой к его колючей скуле.

— Я люблю тебя, Ремиша...

— Это самая хорошая новость за сегодняшний день! — засмеялся Реми, целуя ее. — Позвони портье, попроси разбудить нас в четыре. И давай укладываться, спать нам осталось всего ничего! Или, хочешь, я поеду один, а ты оставайся здесь, поспи. А я потом вернусь и все тебе расскажу.

— Нет, ты что? — возмутилась Ксюша. — Я с тобой!

Воскресенье

Звонок администратора поднял Реми ровно в четыре утра. Ксюша же, заслышав телефонную трель, только поплотнее завернулась в одеяло.

Он не стал будить жену. Бесшумно вышел в коридор, послушал под дверью Лорана и Лизы: тихо.

Спустился вниз и уточнил у заспанной администраторши, что его «брат» не покидал отель.

Вот и славно. Вернувшись в номер, Реми быстро принял душ, выудил из холодильника все съестное — фрукты и упаковки бисквитов, —

сложил в сумку: вряд ли у них будет время на завтрак.

Снова отправился к двери Лорана и Лизы. Ага, голоса! Проснулись!

Пять утра. Он разбудил Ксюшу, отвел ей пятнадцать минут на утренний туалет и велел ждать его звонка. Сам же спустился в паркинг и вывел свою машину за пределы территории отеля, найдя неплохое укромное местечко на обочине развилки. После чего позвонил жене и пояснил, как его найти.

— Если вдруг столкнешься с Лораном и Лизой внизу, ничего не говори. Поздоровайся как ни в чем не бывало и иди ко мне.

— А если они спросят, куда это я с утра пораньше собралась?

— Не спросят. Лоран считает, что мы предатели, разговаривать не станет. А Лиза еще недостаточно в форме, чтобы взять на себя инициативу...

Они не столкнулись.

Ксюша забралась в машину — сонная, теплая... Реми пожалел, что не настоял на том, чтобы жена осталась в гостинице. Но теперь уж поздно: она ни за что не согласится вернуться в номер. Она обожала приключения, его женушка.

Прождали они еще с полчаса, и наконец машина Лорана вывернула с территории отеля. Реми осторожно тронулся за ней.

Ехали они, однако, недолго: Лоран остановился у первого же кафе, открывшегося в шесть утра.

Реми очень хотелось узнать, что вспомнила Лиза, но выдать себя он не мог. Лоран и без того ему не доверяет, а уж если поймет, что Реми за ним следит...

Нет уж, лучше остаться в машине!

Он проехал кафе, не притормозив, метров через сто нашел разворот и вернулся поближе к кафе, приткнув машину на другой стороне улицы.

— Держи, — передал он Ксюше пакетик сока и бисквит. — Какой-никакой, а все же завтрак!

— Мне не хочется есть, — отвела рукой Ксюша свой «завтрак». — Я не могу так рано...

Еще одна машина — старая модель «Вольво» — притормозила у кафе. Из нее вышел лысоватый дядечка в длинных бежевых шортах и черной майке и отправился внутрь заведения, натягивая на ходу джинсовый летний кепарик.

— Ксю, — произнес Реми, — а мы ведь эту тачку видели на дороге... Она в каком-то месте вывернула из-за поворота и поехала за нами.

— Я не видела... Я чуть-чуть поспала, пока мы ехали. А что такого, Ремиша? Народ начал подтягиваться на кормежку, вот и все!

— Может быть... Только зачем он надел кепку, заходя в помещение?

— Чтобы прикрыть лысину, — предположила Ксюша, — он ее стесняется.

— Или чтобы прикрыть козырьком лицо...

Реми дал задний ход и укрылся за поворотом.

— Посиди тут. Не выходи! Я ненадолго...

Он вернулся к кафе и осторожно заглянул в одно из огромных окон. Заведение было практически пустым. Только Лиза с Лораном сидели за дальним столиком, он их отлично видел. А вот Лысого что-то не видать...

Ага, вот он! В углу засел, нахохлился, козырек натянул на лоб. Перед ним всего лишь чашка кофе, — еды он никакой не заказал. Да и кофе глотнул только пару раз и больше к чашке не прикасался.

Плохо.

Реми подождал, пока Лоран с Лизой закончат свой завтрак. Вот они расплатились... Двинулись к выходу... Реми переместился к соседнему зданию и укрылся в его тени таким образом, чтобы его нельзя было разглядеть от двери кафе.

Лиза с Лораном вышли, направились к своей машине. Лысый показался в дверях, где и притаился...

Сомнений нет: выжидает!

Как только машина Лорана отъехала, Лысый вскочил в «Вольво» и медленно тронулся им вслед.

— Ксю, позвони Лорану! — проговорил Реми, протягивая жене свой мобильник: именно в нем сохранился номер доктора.

— И что ему сказать?

— Ничего, передай трубку мне!

Он завел мотор и двинулся в том направлении, в котором исчезли машины Лорана и Лысого.

Ксюша нашла входящий номер, нажала на

кнопку с зеленой трубочкой. «Je vous écoute!»[1] — услышала она и сунула телефон под ухо Реми.

— Лоран, немедленно возвращайтесь в отель! За вами следят!

— Вы это увидели из окна вашего номера? — ехидно откликнулся Лоран.

— Черт побери, доктор, я не шучу! Посмотрите в зеркало заднего обзора: через одну машину за вами едет «Вольво», номер...

Реми продиктовал.

— И что, он не просто едет, но следит именно за нами? — не сдавался Лоран.

— Когда вы завтракали с Лизой, в кафе никого не было кроме вас и еще одного типа в кепке. Вы на него обратили внимание?

— Вы за нами следите?!

— Лоран, вы обратили внимание на этого типа?

— Нет.

— Так вот, он ехал за вами до кафе, наблюдал за вами в кафе и теперь тащится у вас на хвосте! Лоран, все очень серьезно. Мне совершенно не хочется, чтобы он столкнул вас в пропасть на вираже... Или выстрелил через окно вам в голову!

Пауза.

— А вы, случаем, не рассказываете мне сказки? Хотите вынудить нас вернуться, чтобы сдать Лизу жандармам? Гонорар свой торопитесь получить?

— Что за чушь вы несете?

— А вот мы сейчас проверим!

С этими словами Лоран резко прибавил газу.

---

[1] Слушаю вас!

«Вольво», однако, за ним торопиться не стал, а через пару минут, когда справа возник поворот, так и вовсе свернул с дороги.

После этого и Реми прибавил газу, чтобы нагнать «БМВ», и вскоре увидел машину доктора, ехавшую уже на разумной скорости.

На этот раз позвонил Лоран.

— Ну, что теперь скажете? — насмешливо произнес он.

— Что это человек умный и осторожный. Он не стал преследовать вас, иначе бы выдал себя.

— В таком случае он нас потерял.

— Не факт. Он может отлично знать местность и рассчитывает перехватить вас ниже. Полагаю, что мы имеем дело с профессионалом, который далеко не в первый раз занимается подобными делами...

— Какими делами?

— Как минимум, слежкой. Возможно, заказными убийствами. И еще у него много других смежных навыков наверняка имеется.

— Не выйдет, Реми. — Голос Лорана сделался серьезным. — Я вам не верю. Оставьте нас с Лизой в покое, прошу вас. Я вижу вашу машину, четвертая позади моей! Это *вы* следите за нами!

— Не слежу. Охраняю.

— Да бросьте вы! Ясно же, что...

Лоран не закончил фразу. С очередного бокового ответвления дороги выехал и неспешно встроился за «БМВ» «Вольво» со знакомыми номерами.

Реми не стал ничего комментировать. Лоран не дурак, сам поймет...

Прошла долгая минута. Реми уж начал было терять терпение, как доктор произнес: «Возвращаюсь».

Завидев, что «БМВ» Лорана свернул с основного шоссе и двинулся в обратном направлении, «Вольво» вскоре от него отстал — на маленьких дорогах, петлявших между городками, он был слишком заметен. Реми условился с Лораном, что они едут в отель и ждут там детектива, — сам же он осторожно присматривал за «Вольво».

Когда стало очевидно, что машина доктора возвращается в отель, Лысый сиганул куда-то вбок и исчез. Притаился где-то недалеко от гостиницы, Реми не сомневался. Но это его уже не интересовало.

Они вновь собрались вчетвером в номере Реми и Ксюши.

— У нас один путь: в жандармерию! — произнес Реми. — Надеюсь, теперь вы это понимаете...

Лоран кивнул.

— Ехать самим в участок опасно. Я не знаю, что у Лысого на уме. Он может действительно оказаться киллером, нанятым Шарбонье...

— А как же этот тип нашел нас? — удивилась Лиза.

— Боюсь, что это я сглупил, зарегистрировав вас в гостинице под своим именем. Я ведь приходил к Шарбонье, свое удостоверение показывал... Потеряв вас с доктором, они решили разыскать меня. И, найдя, увидели вас... Но, каюсь, подобного поворота с киллером я не ожидал.

— В самом деле, странно думать, что у Шарбонье есть выходы на профессионального убийцу, — заметил Лоран.

— Согласен. Тем не менее они теперь точно знают, что Лиза осталась жива. И представляет для них серьезную угрозу.

— Так давайте вызовем жандармов сюда! — вернулась к теме Ксюша. — Тогда мы двинемся в участок под охраной жандармов, и никто из нас не подвергнется риску быть застреленным через окно машины или упасть в пропасть!

— Это будет правильно. Только я не хочу вызывать их через «17»[1], надо найти номер «наших» жандармов, которые уже ведут следствие по происшествию на озере... Ксю, узнай на ресепшн! И позвони им сама, ладно? А то меня, боюсь, задушат вопросами: они ведь о Лизе ничего еще не знают...

— Издержки профессии, — хмыкнула Ксюша, нажав на кнопку вызова ресепшн. — Обычные граждане, не обремененные сыщицкой деятельностью, вызывают к себе хоть полицию, хоть жандармерию, даже когда у них мышь скребется на чердаке, и лишними объяснениями себя не утруждают!

Записав искомый номер под диктовку администратора, Ксюша тут же набрала его.

«За нами следит подозрительная личность... Я уверена, что у него дурные намерения! Пожалуйста, приезжайте поскорее, мне очень страшно!.. Ксения Деллье. Мы в отеле...»

---

[1] Центральный номер для вызова полиции или жандармерии, действующий на всей территории Франции.

Ксюша назвала адрес и с торжествующим видом положила трубку на место.

— Они прибудут минут через десять, мне сказали.

— Ты умница.

Реми взял ее руку и поцеловал в сгиб локтя.

В ожидании приезда жандармов Реми попросил Лизу рассказать все, что она сумела вспомнить.

Ответил ему Лоран: видимо, все боялся за нервы его подопечной.

— Она приехала действительно к чете Шарбонье. Билет в Италию, в Турин, они оплатили ей под предлогом, что в аэропорту Ниццы забастовки...

— Надо будет проверить, — заметил Реми. — Что-то не помню, чтобы в прессе писали о забастовках...

— Я тоже. Уверен, что они солгали. Винсент встретил Лизу в аэропорту, привез к ним на виллу. Поначалу все шло хорошо, хотя Шарбонье много раз говорили, что Лизе трудно будет с малышом на руках, без денег и без помощи. Но она не уловила в их словах никакого дурного намерения — да, Лиз?

— Не уловила... — отозвалась Лиза. — Хотя теперь, задним числом... Когда Винсент сделал мне эхографию и мы увидели на экране моего мальчика, Анн воскликнула, что она в него просто влюбилась! И еще много раз повторяла потом, какой он хорошенький... Но вряд ли это что-то значит...

— Само по себе нет. Но вместе с другими фактами очень даже значит, — ответил Реми.

— Если бы я тогда догадалась... Я бы немедленно уехала от них, первым же самолетом улетела! — голос Лизы дрогнул.

— Не волнуйся, Лиз, не волнуйся! — проговорил Лоран, ласково поглаживая девушку по плечу. — Короче, Лиза не поняла их намеков. А я уверен, что это были вполне конкретные намеки: Шарбонье пытались убедить Лизу в том, что ей не справиться одной — с тем чтобы подвигнуть ее к решению отдать ребенка им. Но Лиза не отреагировала так, как им хотелось: она постоянно отвечала, что справится... И тогда они придумали другой ход: предложили опекать ее малыша, пока она не окончит университет.

— Но на это потребовался бы еще год, даже если бы я отказалась от академического отпуска, — вступила Лиза. — А может, и больше: ведь я за четвертый курс недосдала экзамены, у меня оставались «хвосты»... Я не могла расстаться с Сашенькой так надолго!

— И Шарбонье выдвинули новую идею, — перенял эстафету Лоран, — они предложили оставить ребенка у них, пока Лиза не досдаст сессию в сентябре! То есть всего на несколько месяцев...

— Этот разговор возник, — добавила Лиза, — когда у меня уже случились преждевременные роды. Я рожала в доме у Шарбонье, Винсент принял моего мальчика... Вот тогда они и заговорили о том, чтобы я оставила малыша, пока не досдам сессию за четвертый курс... Я сначала согласилась. Я чувствовала себя настолько обессиленной... Они говорили, что я смогу забрать сына после экзаменов...

— Они ее обманывали! — воскликнул Лоран. — Она ведь не подозревала о том, что все не так просто в бумажных делах! Для Лизы это выглядело примерно так, как если бы родственница предложила приглядеть за малышом, — только она не учла, не подумала — и это простительно в ее состоянии, — что в другой стране понадобятся всякие разные бумаги, свидетельствующие о правах на ребенка! Если бы она согласилась, то уже никогда бы не получила его обратно!

— Без сомнения, — кивнул Реми. — Дальше!

— Роды, скорее всего, были вызваны искусственно. Шарбонье постоянно делал Лизе уколы: говорил, что ей не хватает чего-то в организме... Под этим же предлогом ее никуда не выпускали дальше сада. Лиза и в самом деле чувствовала все время слабость. Наверняка она была вызвана уколами... И среди них был введен тот, который спровоцировал роды!

— Если можно, покороче, жандармерия вот-вот прибудет! — поторопил доктора Реми.

— Поскольку ребенок родился недоношенным, Винсент Шарбонье сказал, что нужно его отвезти в родильное отделение клиники на обследование. А Лиза была слишком слаба, чтобы ехать с ним...

— Но малыш оказался здоровым! Несмотря на преждевременные роды! — перебила его Лиза.

— Через пару дней Винсент Шарбонье привез ребенка на виллу. Анн взялась заниматься им, ссылаясь на слабость Лизы...

— Мне это не понравилось! — воскликнула Лиза. — Я забрала Сашеньку в свою комнату и приложила его к груди...

— Пожалуйста, опустите детали! — взмолился Реми, поглядывая на часы.

— Позволь мне, Лиза, ладно? — проговорил Лоран. — Прошло несколько дней — Лиза не помнит, сколько, — в которые Анн при всяком удобном случае уносила ребенка к себе. Кончилось все ссорой: Лиза заявила, что обойдется без их помощи и не оставит им малыша. После чего Анн вырвала ребенка из рук Лизы и закричала, что поздно, она уже оформила младенца как своего сына. Лиза бросилась на нее в ярости, Анн ее резко оттолкнула... И дальше — провал. Видимо, Лиза упала и ударилась обо что-то головой еще в их доме. Очнулась она только ранним утром в горах. Дальнейшее вы знаете.

Жандармы — их приехало трое — запутались сразу, несмотря на попытки Реми изложить ситуацию лаконично и внятно. Кончилось все предложением проехать в участок.

Что, собственно, и требовалось.

Выходя из отеля, Реми осмотрелся: «Вольво» и след простыл, — дал небось деру, едва завидел машину жандармерии!

Реми улыбнулся. Что бы ни было на уме у Лысого, он опоздал. Смысл избавиться от Лизы имелся у Шарбонье только до того, как она расскажет все органам правопорядка. А теперь поезд ушел! Так что можно за нее больше не беспокоиться, решил Реми.

Они провели в жандармерии почти шесть часов. Головы вспухли от показаний, уточнений, ответов на все новые вопросы нескольких офицеров, которые занимались ими.

За это время чету Шарбонье доставили в участок, равно как и Сашеньку. Лиза рванулась к малышу, но ее не пустили. До выяснения всех обстоятельств дела, а также проведения генетической экспертизы, нового оформления родительских прав ребенок будет находиться в органах опеки...

Параллельно в доме у Шарбонье шел обыск. Супруги отнекивались, обвиняли Лизу во лжи, посему требовалось найти любые улики, подтверждающие — или опровергающие — присутствие Лизы на их вилле.

Другая группа, после того как показания Лизы о случившемся в горах были запротоколированы, выехала в горы для осмотра места происшествия. Сначала Лизу они намеревались взять с собой, но Лоран категорически воспротивился как врач. Девушка и впрямь была бледной, если не сказать — серой, ее светлые глаза словно померкли, затянулись дымкой, а вокруг них легли черные тени.

— Ей необходим отдых! — настаивал Лоран. — Ее организм еще недостаточно окреп после перенесенной травмы!

— Мы пока не можем отпустить мадемуазель Чеботарефф, — возражал рыжеватый капитан с пышными усами.

— Я сам поеду с вами, я знаю это место. А для нее лишние переживания опасны! Ведь только вчера с ней случился обморок!

В результате капитан уступил, хотя отпускать Лизу из участка отказался. Сторговались на том, что Ксения Деллье побудет с ней в машине, где Лиза сможет отдохнуть на разложенном сиденье.

К ним приставили молодого жандарма, который мялся возле машины, где Ксюша устроила Лизу: чтобы не сбежали. Дело еще только началось, и от завершения весьма далеко, так что, кто тут преступник, а кто жертва, пока неясно...

Лоран с жандармами вернулся почти через три часа. За ними подъехала и группа, занимавшаяся обыском у Шарбонье. Вещей, принадлежавших Лизе, в доме не нашли, — супруги подсуетились заранее и от них избавились. Зато нашелся ноутбук, при виде которого Лиза радостно закричала: «Это мой!»

Но рано она обрадовалась: оказалось, что все файлы на диске в нем стерты.

— Там были мои учебные файлы... — расстроилась Лиза. — И, погодите... Там были мои с Сашенькой фотографии! А мой телефон? Не нашли? Я им снимала!

— Нет, увы. В доме три телефона, но все принадлежат хозяевам, что видно по их содержанию. Ваш выбросили, видимо. А вот компьютер пожадничали, — хмыкнул капитан, — хоть он у вас и ветеран, прямо скажем... Не огорчайтесь, мадемуазель, диск пока никто не использовал, так что наши парни сумеют восстановить данные[1].

Наконец их отпустили, попросив не покидать регион. Капитан стал значительно любезнее с Реми, особенно после того, как в телефо-

---

[1] Восстановить стертые файлы можно в том случае, если с момента их удаления на жесткий диск не была записана новая информация.

не Винсента Шарбонье нашли исходящий звонок к Ирине: дело с утопленницей, еще утром казавшееся абсолютно безнадежным, они скоро смогут закрыть! Правда, на них свалилось новое по Елизавете Чеботарефф, но зато уже почти готовенькое, хорошо «размятое» парижским детективом.

Крепко пожав руку Реми, он обещал держать его в курсе следствия и даже привлечь на помощь, если возникнут противоречия и сложности...

Все четверо вернулись в отель, голодные и едва живые от усталости, еще толком не осознавая, какие плоды принес этот бесконечно долгий день.

Только Брюно, пляжный директор, услышав от Реми о завершении расследования, бурно выразил восторги и комплименты детективу. Правда, несмотря на них, коммерческая осторожность его не подвела, и он обещал выплатить Реми оставшуюся часть гонорара только после того, как появятся статьи в местной прессе, должные окончательно убедить пугливых туристов в том, что никакой потусторонней силы в озере не водится.

Реми торговаться не стал, хоть это нарушало их договор, тем более что статьи-то, конечно, появятся, но вряд ли в них будет фигурировать имя детектива: все заслуги отойдут доблестной местной жандармерии. Впрочем, Реми это не впервой, и он стражей правопорядка вполне понимал: у них начальство с одной стороны и налогоплательщики — с другой, надо себя «пиарить».

Сам-то Реми знал, что практически в одиночку раскрыл два запутанных дела, и был собой вполне доволен. Ксюша тоже знала и гордилась мужем, и ей, несмотря на усталость, хотелось отпраздновать это событие. Она предложила прогуляться у моря, там же и поужинать, отметив в ресторане удачное завершение дела...

Однако Лоран, к ее большому разочарованию, отказался: Лизе нужен отдых и сон.

Все это время Ксюша поглядывала на доктора, пытаясь угадать, какие отношения его связывают с девушкой. С Лизой было все понятно: она, в силу своей физической и психологической травмы, нуждалась в опеке и полностью доверилась Лорану. Но он делал для Лизы куда больше, чем даже самый добрый доктор Айболит, — он заботился о ней так, словно она была его женой или младшей сестрой... Если не сказать, его ребенком. Никакой страсти с его стороны не мелькало даже слабой тенью — да и Лизе явно не до страсти: только после родов, да еще с проломленной головой! И что же доктора с ней связывает? — пыталась понять Ксюша. Любовь? Но ведь она рождается одновременно со страстью, она на ее энергетике летит, как на крыльях!

Или бывает иначе?

Или Лоран не дает воли своему чувству, пока Лиза не в состоянии его принять и разделить?

«Драгоценность, — вдруг подумала она. Лоран обращается с Лизой не как с ребенком, нет, — а как с *хрупкой драгоценностью*. Которая нечаянно попала в его руки, и он теперь делает все, чтобы уберечь ее в целости и сохранности!»

Она обернулась на них в коридоре: Лоран вел Лизу, обняв за плечи, и что-то тихо говорил ей — кажется, обнадеживал, что малыш скоро будет с ней, — а она поднимала на него глаза, к которым вернулось сияние, и даже слабо улыбалась...

Ксюше стало неловко, что она подглядывает, и она быстро юркнула в свой номер вслед за мужем.

Через полчаса они, освеженные душем, переодетые для вечерней прогулки, уже ехали в сторону Ниццы.

Понедельник

Вчетвером они собрались только на следующий день, за завтраком. Все выглядели свежо и бодро, и, похоже, после ночного отдыха смысл вчерашних событий дошел до Лизы и доктора. Они принялись оживленно обсуждать детали, и, чем больше обсуждали, тем больше чувство легкости пьянило их: все кошмары остались позади! История с Шарбонье выглядела теперь почти прозрачной, а Лизе, судя по тому, как сочувственно отнесся рыжий капитан к ее рассказу, вряд ли что-то грозило. «Как же я могу не верить мадемуазель Чеботарефф? — удивился вчера капитан в ответ на беспокойный вопрос Лорана. — Не могла же она, в самом деле, поехать ночью в горы с целью убить незнакомого ей человека? Причем без всяких на то причин? Тут двух мнений быть не может: мадемуазель защищалась. А с учетом ее физического состояния мы никак не можем предположить, что она на него напала сама, даже в рамках самообороны! Тем более что этот бывший пастух нашей службе небезызвестен: с ним не раз недоразумения всякого рода происходили, он малость тронутый умом, у нас это все знают...»

В общем, все складывалось как нельзя лучше, если вывести за скобки ожидание, пока завершится процедура по переоформлению родительских прав и Лиза сможет заполучить наконец своего Сашеньку. Лоран даже извинился перед Реми за свое недоверие, а Лиза с Ксюшей болтали рядышком, как давние подруги.

Услышав, что Лоран собирается вернуться с Лизой к себе на виллу, Ксюша выдвинула предложение остаться у моря еще на пару дней: отдохнуть, поплавать, позагорать! Они все заслужили небольшой отдых, разве нет?

— Пациенты ждут, — улыбнулся Лоран. — А поплавать можно у меня в бассейне. Там же и позагорать.

— Ну, море-то лучше! — не согласилась Ксюша.

— Мне будет трудно объяснить это своим пациентам... А знаете что? Поехали все ко мне! Места хватит.

— Ой, — произнесла Лиза, — как здорово! Да, Ксюш?

Мужчины переглянулись.

Вопрос был решен.

По дороге они заехали в супермаркет, накупили еды — Реми все оплатил в кассе, несмотря на протесты Лорана. В таких делах Реми был щепетилен и несгибаем: раз ему дают кров, то он дает пищу. И баста!

...День этот оказался воистину блаженным — такие дни редко выпадают в жизни вечно озабоченного человека. Ленивая неспешность, радостная праздность, причем совершенно праведная, заслуженная, даже выстраданная. Никаких угрызений совести о несделанных делах; никаких тревог; никакой спешки. Даже мысли о Сашеньке не нагоняли на лицо Лизы тень: она верила, что все скоро решится и сын будет с нею...

Они сидели вокруг бассейна, потягивая соки, потом плюхались в воду, где плавали и играли в мяч. И снова замирали на шезлонгах, подставив тела солнцу (Ксюша старательно намазала белокожую Лизу маслом), а позже готовили ужин на барбекю, который Лоран расчехлил после многолетнего бездействия оного и отдраил жесткой щеткой; и накрывали на стол, и притащили на террасу музыку, и пританцовывали, жаря душистое мясо и нарезая аппетитные, яркие овощи, — и даже Лиза порывалась потанцевать, да доктор не пустил.

А потом они сидели, допивая вино (Лизе тоже немножко перепало), и смотрели на румяное солнце, таявшее и оседавшее в потемневшие горы, наслаждаясь пряными ароматами остывающих трав, — и всем хотелось, чтобы этот вечер никогда не кончался, полный счастья и неги вечер, где синеющий воздух насыщен любовью, какой-то необыкновенной, торжественной и великой...

Когда высыпали над ними огромные, немыслимо чистые звезды, они под звучный аккомпанемент цикад разошлись наконец по комнатам. Ксюша, приметив, что доктор спит отдельно от Лизы, снова задалась вопросом о природе его чувства к девушке...

Но думать было лень. Она обняла мужа, и эта ночь стала одной из самых красивых в их любовной биографии.

...А утром обнаружилось, что Лиза исчезла.

ЧАСТЬ II

Вторник

Лизе снился, как всегда, Сашенька. Она мучительно искала его во сне, но потом находила, брала на руки, прижимала маленькое родное тельце к себе...

Но этой ночью в ее сон вдруг пришел Лоран. Сначала он смотрел на нее с какой-то бесконечной и немного печальной нежностью, и Лиза во сне ощутила, как что-то в ней оттаивает, теплеет, разгорается... Затем Лоран протянул к ней руки, и она пошла ему навстречу.

Сашеньки у нее уже не было — он спал в кроватке, в ее сне это было совершенно ясно. И она шла навстречу Лорану, пока они не оказались близко-близко... И он коснулся ее губ поцелуем.

Этот поцелуй что-то прорвал в ее душе — будто снял тяжелый груз злых чар... И необыкновенные силы неожиданно завладели всем ее существом. И она ответила на поцелуй, потянулась к Лорану, вскинула руки, чтобы обнять его загорелую шею...

«Тс-с-с...» — прошептал он почему-то, отстраняясь.

Затем он сгреб ее в охапку и понес куда-то, и Лиза с ужасом ощутила что-то дикое, страшное в его жесте...

Она открыла глаза. Ее нес на руках мужчина — незнакомый, вовсе не Лоран! Ниже ростом, и с совсем другим запахом, и с почти лысой головой...

Лиза хотела закричать, но рот ее был заклеен куском скотча.

Быстро, ловко и бесшумно мужчина вынес ее из комнаты через окно-дверь, затем пересек двор, вышел в приоткрытую калитку...

Чуть в стороне от калитки стояла старая машина с открытым багажником. «Вольво»! — подумала Лиза. — Тот самый!»

Преодолевая сонливую слабость, она принялась осыпать мужчину ударами, размахивая правой рукой — левая была притиснута к телу мужчины. Но он лишь немного уклонялся от ее кулака, как от надоедливой мухи...

Через несколько секунд он сгрузил ее в багажник, связал ей руки и захлопнул крышку. Машина тронулась, увозя Лизу.

Увозя от счастья, столь недолгого.

«Сашенька, — думала она, — мальчик мой, неужели я тебя больше никогда не увижу? Неужели *им* удалось отобрать тебя, маленький, у матери?! Неужели ты будешь расти сиротой и даже никогда не узнаешь моего имени?!»

Она плакала. Слезы беззвучно катились из ее глаз, и она не могла их утереть связанными руками.

«Лоран, радость моя! Я не успела сказать тебе, как ты мне дорог... Даже «спасибо» сказать не успела за все, что ты для меня сделал... Прости меня за это, мой хороший, дорогой мой человек... Я никогда не была счастлива в своей жизни так, как эти недолгие дни с тобой, Лоран...»

Лиза задыхалась — в глухо запертом багажнике ей не хватало воздуха, она не могла открыть рот и сделать вдох, тогда как нос щекотало от полнивших его слез...

Обморок спас ее, выключив сознание. Затихли рыдания, высохли слезы. Сашенька был с ней, и Лоран тоже, и они сидели втроем на берегу моря... Или бассейна, потому что Ксюша, эта симпатичная девушка, почти подруга, махала ей с противоположного бортика приветливо, и кто-то жарил мясо для ужина... Кажется, Ксюшин муж, детектив...

Вскоре все образы погасли, растворившись в непроглядной темноте.

* * *

Звонок Галины Мироновны, матери Лизы, четыре дня тому назад, не показался Алексею Кисанову важным, чтобы сообщать о нем Реми: какой-то Лизин друг желал с ней поговорить. Узнав, что девушка находится на отдыхе за границей, он принялся расспрашивать Галину Мироновну, но та мало что сумела ответить на его вопросы.

— Вы уж извините, Алексей Андреевич, я дала ему номер телефона, который на визитке стоит вашей, так что он позвонит вам, наверное...

— Он объяснил, кто он Лизе? Что за друг такой? Уж не отец ли ее ребенка?

— Я не спросила. Что это меняет? Лиза все решает сама, как ей вздумается! Надо б ей было, она своего друга сама оповестила, что уезжает!

Алексей согласился с этой мыслью и значения разговору не придал.

Не придал он значения и разговору с Галиной Мироновной на следующий день. На этот раз ей показалось, что кто-то посетил квартиру в ее отсутствие. Основывалась она на том, что дверь оказалась не заперта, тогда как она «точно помнила», что закрыла замок, уходя!

— Что-нибудь пропало?

— Ничего.

— Беспорядок, вещи не на своих местах?

— Порядок.

— Может, вы просто забыли запереть дверь?

— За кого вы меня держите?! — возмутилась Галина Мироновна. — Я пока еще в здравом уме, к вашему сведению!

Кис спорить не стал. Женщина с хронической депрессией, да к тому же попивающая, очень даже могла не помнить, заперла ли она дверь. А тот факт, что в квартире ничего не пропало, лишь усиливал его скепсис.

Протек еще день, Алексей уж и думать забыл о звонках Галины Мироновны, как вдруг сегодня с утречка, ровнехонько в девять, «Лизин друг» взалкал с ним общения.

— Я недалеко от вашего офиса, — произнес приятный баритон. — Могу я подняться к вам?

— Не можете. Мои встречи назначаются заранее, — заявил Кис, который в данный момент находился отнюдь не в офисе, а у себя дома... Точнее, в своей кровати. — Что у вас за дело ко мне?

— Повторяю: я друг Лизы, и я хочу узнать, где она... Ее мать дала мне ваш номер телефона.

Меня это очень беспокоит: раз Лизой занимается частный детектив, то, видимо, не все в порядке!

— Я смогу принять вас у себя в офисе через полтора... нет, через два часа, — сообщил Алексей.

— А пораньше никак?

— Никак, — отрезал детектив.

В самом деле, если свести к минимуму время на душ и утренний кофе, то еще доехать надо — с проспекта Мира на Смоленку! А с учетом московских пробок...

— Это минимум. Возможно, вам придется ждать и больше, — строго заявил он своему собеседнику.

— Хорошо, — покладисто ответил тот. — Я буду ждать.

Не успел Кис, поприветствовав своего ассистента Игоря, угнездиться за рабочим столом, как «Лизин друг» снова позвонил.

— Мне кажется, я видел, как вы вошли к себе в бюро... Вы мужчина среднего роста, крепкого телосложения, с темной густой шевелюрой... чуть с проседью, да?

— Поднимайтесь, — ответил детектив. — Я на месте.

И тут же позвал Игоря.

— Что-то меня напрягает эта история. Пока не знаю, почему да отчего. Я тебе подам сигнал на мобильный, — по нему выйдешь, сядешь в свою тачку, дождешься выхода клиента и проследишь за ним. Мне отзванивай по мере продвижения. Если что, я подключусь сам.

Игорь кивнул: ему не впервой.

— И кофе? — спросил он.

— Само собой.

Молодой брюнет впечатляющей наружности (и лицом пригожий, и телосложением мощный) вскоре занял кресло для посетителей перед столом детектива. Представился он Вячеславом и в качестве предисловия принялся рассказывать, как ему небезразлична Лиза, хоть они с ней и поссорились пару месяцев назад, но вот сейчас он одумался и понял, что дороже этой девушки никого на свете нет...

Кис кивал понимающе. Расслабляюще так кивал. И, когда поток речи его визитера иссяк, он спросил в лоб:

— То есть, как я понял, вы намерены признать свое отцовство?

Ничего подобного не вытекало из слов гостя, но этот ход потребовался детективу в качестве шока.

— Отцов... ство? У Лизы ребенок?

— Уже два года малышу, — нахально приврал Кис, наслаждаясь замешательством своего гостя.

— Ну, конечно, я готов... — пролепетал тот. — Если он от меня...

— Ну, разумеется, от вас! Особенно если учесть, что вы с Лизой, по вашим словам, не общаетесь уже ЦЕЛЫХ ДВА МЕСЯЦА! Однако при этом не знаете, что она беременна!

— Беременна? — повторил вконец растерявшийся красавчик. — Но ведь вы сказали, что ребенку два года...

— Так вам лучше знать! Вы ведь всего два ме-

сяца не видели Лизу, а? Так она беременна или
родила?

— Послушайте, я... В общем... Зачем вы меня
путаете?!

— Затем, что вы лжете. Кто вас послал наво-
дить справки о Лизе? И с какой целью?

Алексей видел, что брюнету очень хотелось
позвонить по мобильному — так отчаянно тере-
бил он его в кармане, — чтобы испросить даль-
нейших инструкций.

Кис незаметно нажал на кнопку своего телефона: это был сигнал Игорю занять наблюда-
тельный пост.

— Я не обманываю... Вернее, я... По правде
говоря, мы расстались с Лизой два года тому назад... Но я хочу ее найти, она мне запала в душу,
и я теперь только о ней и думаю! Можете вы понять такие чувства или нет?! — патетически воскликнул брюнет.

— Могу, конечно, — любезно ответил детектив, стремясь выиграть время, чтобы Игорь успел занять наблюдательную позицию. —
Я страшно опытный, к вашему сведению, душе-
вед и сердцеед... пардон, *сердцевед*! — с легкой
издевкой закончил он.

— Тогда вы должны понять... — залепетал
брюнет, явно не готовый к такому повороту, а
подсказка была ему по-прежнему недоступна: не
мог же он на глазах у детектива вытащить свой
телефон и попросить инструкций! — Я просто
осознал, что Лиза мне дорога...

— Угу, вы уже об этом говорили, — пресек
его лепет Алексей. — Кто вас послал? Кто интересуется Лизой?

— Я ведь вам сказал, что я два года назад...

— Не теряйте время, голубчик.

— Вы... Вы ведете себя оскорбительно!

— В самом деле? — ухмыльнулся Кис.

— Я больше не хочу иметь дела с вами!

— Это ваше право, — философски откликнулся детектив.

— Лиза мне дорога, что бы вы ни думали... И я ее найду сам! — пафосно провозгласил Вячеслав (если имя не вымышленное, конечно) и направился к двери.

Алексей не стал его удерживать. Одно жалко: профессия частного детектива не предполагает необходимости спрашивать документы клиента (по крайней мере, пока дело не дошло до подписания договора)... Но ничего, Игорь уже наверняка на посту. Так что скоро мы узнаем, откуда взялся сей красавчик и кто его послал!

Выдержав паузу, Алексей направился к своей машине: хоть у Игоря уже имеется немалый опыт, но все же в некоторых ситуациях только он, Кис, способен найти верный ход.

— Он по Садовому едет в сторону Маяковки... — доложил Игорь по телефону. — Не столько едет, правда, сколько в пробках стоит. Я тоже, соответственно.

— Не упусти его! Я за вами. Со Смоленки только что выехал, но у меня тоже пробки...

— Кто б сомневался, — усмехнулся Игорь и отключился.

Прошли еще тягомотные сорок минут, когда Игорь вновь позвонил.

— Кис! Мы тут вырвались на Тверские-Ямские! Парень притормозил перед зданием банка. Вошел внутрь!

— Название?

Игорь продиктовал шефу по буквам иностранное слово.

— Иди за ним. Постарайся понять, чем он там занимается! А я пока попробую узнать, что за заведение такое...

Кис мог, конечно, забуриться в Интернет: чего там только не сыщешь! Но он предпочел путь более короткий и, главное, более надежный: а именно, потревожить Серегу Громова, друга закадычного, равно как и бывшего коллегу по Петровке, где когда-то работал и сам Алексей.

— Посмотри, что у тебя есть по этому банку, Серег. У меня тут запутанная история, но если в двух словах, то есть некая девушка, которая ведет жизнь очень скромную, но ею почему-то активно интересуются и во Франции, и тут у нас, в Москве...

— На каком уровне смотреть? Акционеров? Дирекции?

— Если бы я знал!.. Давай всех.

Серега обещал разузнать через полчаса-час.

— Кис, — позвонил Игорь, — этот парень прошел через служебный ход... Я не могу за ним. Меня не пустят.

— Оставайся на месте. Если выйдет — отследи его дальнейшие передвижения. Я пока жду сообщений от Громова.

Серега позвонил через полчаса.

— Пиши, сначала акционеры: Евгений Косин, Юрий Чеботарев, Ярослав Старков. У всех рыльце в пушку по финансовым делам: левые фирмы, левые деньги, но к суду пока не привлекались, — сам знаешь, как наши ловкачи...

— Погоди, погоди, Серег, ты сказал: *Чеботарев*?!

— Ну.

— На нем пока остановимся. Глянь, какая еще есть инфа по нему!

— А ты чего так...

— Девушка-то моя, которой все активно интересуются, — она тоже Чеботарева!

— Фамилия распространенная, — заметил Серега. — Смотри не соскочи на ложный ход!

— Не дрейфь. Просто проверю. Поможешь?

— Аск!

Алексей повернул назад, к себе в бюро, и, надежно застряв в новой пробке, набрал номер Реми. В Москве было около одиннадцати, — во Франции — около девяти.

— Слушай, Реми, тут нашей Лизой интересуются какие-то подозрительные личности...

— И даже очень интересуются, — хмуро отозвался Реми. — Лизу похитили этой ночью!!!

Алексей озадачился. Тот, кто в данный момент ищет Лизу в Москве, *еще не знает*, где она на самом деле находится! А семейка Шарбонье пребывает в жандармерии: «предварительное задержание».

— Идеи есть? — спросил Кис.

— Только одна: Шарбонье решили оконча-

тельно избавиться от Лизы и наняли киллера.
Когда их задержали, они не успели — или не захотели — отменить «заказ».

— Смысл? Лиза уже дала показания, и теперь им вовсе ни к чему вешать на себя ее убийство. Оно могло быть им выгодно только ДО того, как Лиза расскажет все, что знает.

— Значит, не успели... Я вчера сообщил о Лысом в жандармерию, но, по их словам, Винсент Шарбонье клянется, что киллера не нанимал... Только я не верю! Иначе почему Лысый следил за Лизой?! И зачем тогда Шарбонье приперся на виллу к Лорану, когда тот забрал Лизу из больницы? Хотел удостовериться, что Лиза жива, — но с какой целью?! Чтобы дать указания наемному убийце!

— Не знаю, Реми... — О банкире Чеботареве Кис пока говорить не счел нужным: фамилия и впрямь распространенная, рано делать выводы. Информация нуждается в проверке, иначе они все дружно начнут строить замки на песке... — Киллер застрелил бы ее, и все дела. Какой смысл ему Лизу похищать?

Реми не представлял какой. Он винил себя по-черному за то, что расслабился, поддавшись вчерашнему веселью, и не принял меры предосторожности: позволил всем спать с раскрытыми окнами. Раскрытыми в душистую альпийскую ночь — нежную, как губы оленя, ласковую, как куничий мех, сладкую, как лавандовый мед... После вчерашней эйфории так хотелось насладиться этой ночью, так хотелось безмятежно спать и видеть чудесные сны, ведь все кошмары уже остались ПОЗАДИ!

Оказывается, не остались.

Лоран, тот вовсе окаменел. Сидел молча в кресле на террасе и ни на что не реагировал.

Кис прав: киллер бы просто застрелил Лизу. Кому понадобилось ее похищать и зачем? Девушка она малоимущая, и потенциальным вымогателям ничего не перепадет от ее похищения...

Так зачем же ее похитили?

И кто?!

— Реми, ау? — Оказывается, он все еще держал трубку у уха, а в ней обитал Кис.

— Тут я... — невесело отозвался он. — Сейчас прибудут эксперты. Посмотрим, что это даст... — голос Реми совсем сник.

— Не знаешь, какое отчество у Лизы?

— Отчество?

Поскольку Реми не владел русским, хоть и знал немало слов, а Алексей не владел французским, хоть и знал немало слов, — общались они на средненьком английском, что иногда служило препятствием к пониманию.

— Позови к телефону Ксюшку.

Взяв в толк, чего добивается Алексей, Ксюша перевела вопрос Реми и сама призадумалась.

— Ксюш, — не выдержал Кис, — понятно, что Лиза не представлялась вам по отчеству! Но вы же вчера в жандармерии были, а там анкеты заполняли! Лиза обязана была представиться полным именем!

— Ой, точно! Но только я не очень прислушивалась... Нам там всем такие допросы устроили, Алеш! Не до того было... А что, у тебя есть зацепка?

— Не исключено. Пока рано судить. Я сейчас поеду к матери Лизы, кое-что уточню — и сразу позвоню!

Услышав перевод Ксюши, Реми схватил трубку, но поздно. Алексей уже отключился.

Ксюша сочувственно погладила мужа по плечу.

— Не расстраивайся, Ремиша... Как только у Алеши будет что-то существенное, он сразу позвонит... Ты же его знаешь!

Реми кивнул, хотя в лице его читалась безнадежность. Ксюша настаивать не стала. Реми винит себя в исчезновении Лизы, и, как знать, чем это исчезновение закончится? Вдруг убийством?!

Спасти ее мужа могла только реальная зацепка, чтобы он смог взять след, чтобы гнать, спасать — и спасти!

Но пока ничего близкого к желаемому раскладу не намечалось. И утешать Реми бесполезно.

Жандармы наконец приехали. Эксперты снимали отпечатки в комнате, где ночевала Лиза, изучали ее постель, окно-дверь...

— Там, снаружи, цветы сломаны, — проговорил Реми. — Но хорошего отпечатка обуви нет. А дальше гравий, так что...

Один из экспертов кивнул и направился изучать следы под окном.

Прошло больше часа, когда наконец эксперты стали сворачиваться. На все вопросы они отвечали с загадочными лицами: «Посмотрим, что покажет лабораторное исследование...»

После их отъезда наступила оглушительная тишина.

Лоран все так же сидел в кресле с неподвижным лицом, и Ксюша, при всей своей сердобольности, не находила ни одного подходящего слова, которое могла бы сказать ему в утешение. Она знала, что Лоран тоже винит себя в том, что не закрыл окна дома, — поняла это из его первых восклицаний, после которых он замкнулся и впал в молчание. Тем более что он вчера вслух решал, дать — или уже не стоит? — Лизе успокоительную таблетку, от которой она спала, как младенец...

Но он все же дал, и теперь эта таблетка вклинилась в картину самым жутким образом: не спи Лиза столь крепко, так хоть закричала бы, позвала на помощь! — понимала Ксюша.

Она подошла к мужу.

— Скажи Лорану, что он не виноват.

— Скажи мне, Ксю, что я не виноват, — поднял на нее воспаленные глаза Реми, сидевший на бортике бассейна — того самого, в котором они вчера все так весело резвились...

Она поняла ответ мужа. Не утешить ни того, ни другого...

В их безнадежное, почти похоронное молчание вклинился звонок. Реми вытащил свой мобильник: снова Кис.

— Тут вот какой интересный поворот, Реми...

* * *

С матерью Лизы Алексей созвонился по ее мобильному номеру, предполагая, что Галина Мироновна ушла на работу. Но она оказалась дома — чувствует себя неважно, взяла больничный.

Она и в самом деле выглядела неважно. Кутаясь в теплую кофту, несмотря на жару, она была бледна, и, похоже, ее бил озноб.

— Я вас надолго не задержу, Галина Мироновна, — вежливо проговорил Алексей, входя в ее запущенную квартиру. — У меня только один вопрос: Лиза родилась вне брака, как вы сказали в прошлый раз. Отец ее отказался от ребенка и от вас, едва услышал о вашей беременности. Но вы при рождении Лизы вписали в графу «отец» фамилию Чеботарев. Почему?

— Потому что я от него забеременела!

— А отчество?

— Не могла же я дать дочери свое! «Елизавета Галиновна», а, как вам?

— И какое же отчество вы вписали?

— Да такое, какое полагалось, отцовское: Юрьевна!

— Значит, Юрий Чеботарев — это настоящее имя ее отца?

— Естественно! — дернула плечами в кофте Галина Мироновна.

— И давно вы с ним общались в последний раз?

— О-хо-хо, Лизе уже двадцать четыре, а я тогда была только беременна! Выходит, без малого двадцать пять лет назад!

— И с тех пор ни разу он не...

— Ни разу.

— Чем он теперь занимается, не знаете?

— С какой стати мне интересоваться человеком, который так подло отказался от меня и своего ребенка?!

Тут, наверное, от Алексея ждали сочувствия, и полагалось его высказать, — но он не нашел слов. Возможно, отец Лизы и является последним подонком, однако манера Галины Мироновны смотреть на мир обвиняющим взглядом ему не импонировала. Он неплохо изучил данную породу «обвинителей» — такие люди, получив душевную травму (неважно, реальную или придуманную ими), посвящали себя страданию. Словно пытались доказать человеку, сию травму причинившему, что вся их жизнь пошла под откос по его вине. Тогда как предполагаемый виновник уже давно исчез с горизонта, и доказывали они это на самом деле пустоте.

А жизнь так-таки шла под откос, причем исключительно стараниями «жертвы», рьяно возлюбившей себя в этом качестве. Депрессия, алкоголизм, отсутствие интереса к близким — все это щедро возлагалось на алтарь обвинения. Драгоценные годы земного существования бездарно растрачивались на никому не нужные счеты...

— Галина Мироновна, позавчера вы мне сказали, что кто-то проник в вашу квартиру... Вы так и не обнаружили, пропало ли что?

— Ценностей у меня мало, человек я бедный... Все на месте. Видимо, я и впрямь не заперла дверь, уходя.

— А в ванной смотрели?

— В ванной?! — удивилась Галина Мироновна.

— Ну да.

У Алексея была одна любопытная догадка, и он желал ее проверить.

— У меня там кремы дешевые, не представ...

— Пойдемте все же посмотрим, — перебил ее детектив.

Под зеркалом находилась полочка с четырьмя пластмассовыми ящичками под ней, — и сразу бросалось в глаза, что это пространство было разделено на две зоны. Левая часть явно принадлежала Лизе: известной иностранной фирмы крем, хороший дезодорант, французская тушь и маленький флакон французских же духов, — тогда как справа кремы отечественного производства, старая пудреница да туалетная вода непонятного происхождения.

По тому же принципу разделялись и ящички под полкой: слева Лизины, справа ее матери. Ниже с обеих сторон висели на стене стаканчики с зубными щетками: один Лизин, второй ее матери.

— Лиза должна была взять с собой зубную щетку. А я, смотрю, она стоит на месте, — удивился он.

— Что вы, у нее аж три! Любимая — такая «продвинутая», как Лизка называла, с ворсом разной длины и резинкой по центру, для отбеливания зубов, — она ее с собой и забрала. Вот эта помягче, более старая... А третью не вижу что-то.

— Лиза могла ее тоже взять с собой? — предположил Кис.

— Да она была еще хуже... Лиза ею ногти чистила!

Выходит, было три, а осталась одна. Но Лиза забрала, скорее всего, только одну, «продвинутую». В поездку обычно берут самый необходимый минимум.

— Куда же она делась? — удивилась Галина Мироновна.

— А как насчет расчески? Или чем Лиза пользовалась, чтобы причесывать волосы?

230   Галина Мироновна выдвинула два ящичка с левой стороны.

— Щетки нет, но Лиза должна была ее взять в поездку... Еще одной нет, — круглой такой, с щетиной, дочка ею подвивала челку... И еще чего-то тут не хватает. Я не знаю, я же не разглядывала дочкины причиндалы, но ящички были полные, резинки всякие для волос, заколки, еще какая-то ерунда...

Вор, видимо, безошибочно определил «зону» Лизы, как только что сам детектив, и...

— А вы почему интересуетесь? Вы ж не думаете, что кому-то ее старую зубную щетку понадобилось красть? — недоумевала ее мать. — И заколки с резинками?

Но Алексей не хотел отвечать на ее вопрос. Слишком сложно выглядело дело, в которое впутался Реми, — точнее, в которое впутали Лизу.

Он отделался какими-то вежливыми фразами и заторопился покинуть квартиру, но на пороге Галина Мироновна его удержала.

— Так что с Иркой-то? Неужто и впрямь погибла?

— Увы.

— Жалко ее... Хоть и непутевая девка, а все ж жалко... Матери ее сообщили?

— Полагаю, что да. А вы сами не разговаривали с ней? Это ведь ваша сестра?..

— Что с ней разговаривать, она сама лахудра, лахудру и вырастила... А Лизу-то вы нашли?

Сказать по правде, до сих пор Алексея весьма устраивало отсутствие интереса Галины Мироновны к дочери, потому как рассказывать ей о том, что случилось с Лизой, ему совсем не хотелось.

— Не я. Там полиция занималась поисками всех, с кем Ирина была знакома... Вроде бы с Лизой они контакт установили, — солгал он.

— А что же она мне не звонит?

Кис пожал плечами и быстро вышел.

— Такие вот дела, Реми, — подытожил Алексей свой рассказ.

Реми было стыдно признаться, что мозги его с трудом соображают: чувство вины придавило их так основательно, что интеллектуальная деятельность не на шутку забуксовала.

— Думаешь, что Лизины вещи действительно кто-то украл?

— Думаю.

— А если она просто все эти причиндалы забрала с собой?

— Не забудь, что кто-то вторгся в их квартиру. И ничего не пропало, кроме нескольких предметов личной гигиены!

— И... И что из этого следует, Кис?

— Проснись, приятель! Возможно, этот Шарбонье говорит правду: он никому не поручал похитить Лизу, поскольку Лизой по каким-то причинам стал интересоваться ее родной папаша! Мотивов пока не знаю, но он ищет Лизу, это точно! Для кражи щеток и резинок, на которых, без сомнения, остались ее волоски, — ты же знаешь, что такое эти резинки, а?

— Знаю, — Реми начал приходить в себя, — у Ксюши всегда остается на них пара-тройка волосков...

— О чем и речь! И кто-то их выкрал из квартиры, понимаешь? Причина может быть только одна: провести генетический анализ!

— Позавчера... — проговорил Реми. — Сам анализ много времени не занимает. Если он нашел лабораторию, где нет очереди...

— Можешь не сомневаться: с его деньгами — а он акционер крупного банка — он такую лабораторию нашел!

— Но, Кис, погоди... Установил он, допустим, свое отцовство вчера. Но как он мог найти Лизу здесь, в Альпах, на вилле Лорана, да в кратчайшие сроки?!

— Не знаю пока. И не вижу, зачем ему Лизу похищать.

— Я тоже. Только если с русской мафией связался... Ее тут, в Ницце, как грязи...

— Это не отвечает на вопрос, зачем ему дочь похищать. Мог приехать и сказать: здрасьте, девушка, я ваш папенька... К тому же он не знает, что Лиза во Франции, иначе бы не стал подсылать ко мне своего человека... Ну, видно будет. Реми, ты пока давай с жандармерией и с экспертами работай, а я порою еще насчет папаши в Москве.

С этими словами Кис отключился и завел мотор.

...Но пришлось его заглушить через несколько секунд. Трое качков обступили машину, аккуратно отводя полы дорогих пиджаков, под которыми просматривались пистолеты.

Кис опустил стекло. Этот язык был ему известен, равно как и то, что на нем, на этом языке, отвечают только согласием.

— Слушаю вас.

— Большая просьба к вам, Алексей Андреевич, — крайне вежливо проговорил тот, что стоял поближе, — проследовать за нами. Один уважаемый человек хочет с вами побеседовать.

Алексей кивнул. Он и сам не прочь побеседовать с «уважаемым человеком», имя которого, без сомнения, Юрий Чеботарев. Вячеслав уже наверняка доложил ему о своей встрече с детективом, и папаша решил взяться за дело самолично.

— Будьте добры, пересядьте в нашу машину.

Кис повиновался. Запер свой джип и, следуя указующему жесту одного из качков, забрался в черный «Лексус», стоявший неподалеку.

Ехали они недолго, и, как ни странно, его стражи не пытались скрыть от него конечную точку путешествия — не завязали глаза, к примеру.

Оказались они на Красной Пресне, у одной из башен Бизнес-центра, где у входа сияли бронзой многочисленные таблички, чуть не все заканчивавшиеся на слово «...Limited».

«Общества с ограниченной ответственностью», одним словом. Чем русского человека не удивишь: все эти компании управляют исподволь нашей жизнью, при этом у всех ответственность за нее страшно ограниченная.

Лифт поднял их на одиннадцатый этаж. Устланный ковром коридор, дубовая дверь, на которой красовалась очередная табличка со словом «...Limited».

Прелестная секретарша чуть привстала при их появлении, но тут же села обратно: качки ей просто кивнули и прошествовали к двери кабинета без всяких опознавательных знаков.

— Алексей Андреевич? — поднялся из-за огромного письменного стола навстречу ему мужчина лет за пятьдесят, брюнет со светлыми широко расставленными глазами... Кис фотографию Лизы видел в квартире ее матери, сам же ее переснял и отослал Реми, так что гадать о том, у кого он видел такие же глаза, не приходилось. — Пожалуйте, располагайтесь. Чем могу вас угостить? Кофе, чаю? Покрепче? Перекусить?

Кис ломаться не стал. Со времени утреннего кофе у него росинки маковой во рту не было, и он затребовал и кофе, и бутерброды.

Хозяин кабинета нажал на кнопку и распорядился принести требуемое. А сам времени терять не стал: подошел к детективу и, протягивая руку, возвестил:

— Чеботарев Юрий. Вы интересовались Лизой...

Поскольку вопросительной интонации в словах Чеботарева Кис не ощутил, то и отвечать не стал.

— Возможно, для вас это будет новостью, но Лиза моя дочь.

— Не будет.

— Вот как? И каким образом вы пришли к этому выводу?

— Зубная щетка и прочие вещицы, на которых остались волоски Лизы.

— Щетка? — вскинул брови Чеботарев. — Ах, щетка!.. — на этот раз он улыбнулся. — О вас говорят, что вы весьма толковый детектив. Не зря,

похоже... Я хочу узнать, почему вы интересовались Лизой.

Да, она была куда больше похожа на отца,
чем на мать. И овал лица, немного треуголь-
ный, и высокий лоб, и, конечно, эти светлые,
прозрачные, красиво очерченные глаза. Но если
Лизе, насколько мог Алексей судить по фотографии, они придавали необыкновенный шарм,
то на лице Чеботарева они выглядели как два
дорожных табло, предупреждающих об опасности.

— Я тоже хочу узнать, почему вы ею интересуетесь. Вы отказались от нее, когда она была
еще зародышем в чреве матери. Прошло с тех
пор почти двадцать пять лет. Зачем вам Лиза по-
надобилась?

— Вообще-то вопросы здесь задаю я, так уж
сложилось, — благодушно улыбнулся Чеботарев.

— Не пойдет.

Чеботарев снова вскинул брови.

— Сначала вы ответите на мой первый вопрос, — твердо произнес Алексей. — А потом
уж я верну вам роль хозяина, согласен. Только
не забудьте предоставить мне роль дорогого
гостя.

Чеботарев качнул головой, коротко хохотнув,
словно детектив страшно насмешил его.

— Добро. Давайте ваш вопрос.

— По вашему распоряжению похитили Лизу?

— А ее похитили?

Детектив не ответил, глядя на него в упор, и
Юрий Чеботарев сдался.

— Нет! Не по моему!

— Ладно, верю, — с долей сомнения произнес детектив. — Теперь ваша очередь.

— Расскажите все, что знаете. Где Лиза, почему вы ее ищете... Начните со слова «похитили».

— Не выйдет. Придется начать с начала...

Детектив рассказал все, что знал от Реми. О том, как очнулась Лиза в горах с проломленной головой, как спас ее доктор Лоран Бомон, как вышел Реми на Шарбонье, о преждевременных родах Лизы и Сашеньке, о Лысом, жандармерии...

Повествование его, уложившееся в сорок минут, — с учетом встречных вопросов хозяина кабинета, — закончилось фразой: «А сегодня утром обнаружилось, что Лиза исчезла из спальни на вилле Лорана. Сама она уйти никуда не могла: ее похитили».

— Выходит, у меня уже внук есть... — задумчиво проговорил Юрий Чеботарев.

Ответить на это Алексею было решительно нечего, поскольку именно так оно и выходило, и детектив взял второй бутерброд: первый-то съел сразу, как только принесли, а дальше жевать стало некогда: он был занят повествованием.

— Значит, у вас нет никаких гипотез, кто Лизу похитил? — произнес Чеботарев.

— До сих пор не имелось. Но теперь, в результате нашего с вами знакомства, одна мысль появилась... Кто-то из вашего близкого окружения прознал о том, что Лиза — ваша дочь. И будет требовать выкуп.

— Это невозможно. До вчерашнего дня я и сам не знал об этом!

— Кстати, зачем вы принялись за ее поиски двадцать пять лет спустя?

— Вас это не касается.

— Ладно, зайдем с другой стороны. Вы искали ее с тем, чтобы от нее избавиться? Или чтобы признать своего брошенного ребенка?

Юрий обозначил паузу поднятием бровей. Затем ответил как бы нехотя:

— Признать?.. Не знаю пока. Но я думал об этом, не скрою.

— Думали? Вы слишком громко думали, боюсь. Кто-то уже сделал вывод, что вам этот ребенок стал по каким-то причинам — о которых вы говорить не хотите — дорог. И что вы непременно заплатите за нее выкуп!

— Это невозможно!!!

— Кто посвящен в розыски Лизы?

— Только Слава, тот молодой человек, что приходил к вам под видом воздыхателя Лизы... Он, кстати, рассказал мне, как ловко вы загнали его в тупик! — хохотнул Чеботарев. — Но он мне очень предан. Он не мог. Да и связей у него во Франции таких нет, чтобы организовать похищение Лизы!

— Он там никогда не бывал?

— Бывал, почему же... У меня вилла в Ницце, он со мной обычно туда выезжает.

— В таком случае я бы на вашем месте не стал утверждать, что у него нет связей... Погодите, *вилла в Ницце*? А кто на ней проживает?

— Моя супруга и двое детей от законного брака... Два гаденыша, которых воспитала их мать.

«Два гаденыша», ничего себе, так о своих детях отозваться!» — подивился Алексей.

— В таком случае мог возникнуть другой мо-

238 тив: наследство. При появлении Лизы их наследство уменьшается, верно?

Чеботарев молчал долго-долго. Переставлял на столе стаканы — механический жест, ковырнул пирожное, но так и не донес до рта...

— Сколько им лет? — не выдержал детектив.

— Дочке — семнадцать, сыну — пятнадцать... Но организовать похищение Лизы им слабо, — они едва ли собственную задницу научились подтирать. Да и не осмелились бы потребовать выкуп: они меня хорошо знают, я бы все прознал! И наследства бы их полностью лишил!

— Почему-то мне кажется, что они в курсе ваших попыток найти Лизу. Иначе бы вы мне первым делом возразили, что они понятия не имеют! Но вы не возразили.

— Да уж...

Чеботарев снова подвигал стаканы. Затем вдруг налил себе коньяку: бутылку принесла им секретарша еще в самом начале, но никто к ней до сих пор не притрагивался. Покрутил стакан с коньяком. Отпил. Поставил на место. Снова отпил.

— Юрий, о нашем разговоре никто не узнает, гарантирую! — не выдержал детектив. — Что вы сказали вашим детям?

— А у вас дети есть?

Глаза Чеботарева вдруг перестали казаться двумя электронными табло — в них появилось человеческое измерение: глубина, эмоции. Правда, какие именно, Кис не смог бы сказать с точностью. Довольно легко прочитался живой интерес при этом вопросе; сложнее было определить то, что смутно мерцало в их глубине... Какая-то боль? Из-за «гаденышей»?

— У меня маленькие совсем, — уклонился от посторонней темы Алексей.

— А жена у вас красивая?

Ну что ты будешь делать! У Чеботарева наступил, похоже, «момент истины», и ему требовалось то ли излить душу, то ли хотя бы получить ответы на какие-то свои вопросы...

— Красивая.

— И как вы с ней?

— Я вас не очень огорчу, если скажу, что отлично?

Чеботарев усмехнулся:

— Ты молодец, Кисанов.

— ?

— Не грузись. Неважно. Просто мне нравится, что правду говоришь, а не юлишь.

— А должен был?..

— Хе, забавный ты тип. Все ведь юлят, не понимаешь, что ли? Я же богатый! «Олигарх», со всеми вытекающими последствиями.

— Ага, «тяжела ты, шапка Мономаха».

— Типа того.

— Так сами же выбирали.

— Чего «сам выбирал»? Шапку?

— Путь. И жену... и воспитание детей, к слову.

Алексей ожидал, что его слова вызовут гнев Чеботарева, но ошибся. Тот вскинул брови — уже понятно, привычка такая — и рассмеялся.

— Ты всегда говоришь то, что думаешь?

— Не всегда. Только когда это правильный ход.

— Ну ты даешь!.. — мотнул головой Чеботарев.

— Я не привык переходить на «ты» без спросу.

— Чего-о-о? А... извини. Давай ты тоже на «ты».

— Лады. Вернемся к делу, Юра. Лизу-то похитили! Надо срочно ее искать! Так что ты сказал своим детям?

— Да ляпнул как-то: твари вы, мол, неблагодарные... Вот найду, мол, своего внебрачного ребенка — уж он-то благодарным будет!

— То есть ты решил найти Лизу и помочь ей материально?

— В тот момент я ничего не решил — просто ляпнул! Я Гале-то не поверил, что она от меня забеременела. У меня много девушек было по молодости... И все норовили меня захомутать: мне уже тогда крутая карьера светила, через папаню... Две из них уверяли, что беременны. Я от обеих слинял: жениться не собирался и бабам не верил... Но после того, как своим пиявкам насчет ребенка ляпнул, мысль словно зерном заронилась в мозг. Вот, дозрела недавно. Я Славу отправил к обеим. Он начал с первой, с Лены. Там было посложнее, потому что Лена замужем, вместе с сыном и матерью живет — вечно кто-то дома! Но Слава все же изловчился: подобрал бумажный платок, который выбросил сын Лены на улице. Я же не знал, какого пола ребенок, сын ли, дочь ли... Оказалось, что этот молодой человек не имеет моих генов. И тогда Славка приступил к обработке Гали. А тут пошли странности: Лиза куда-то уехала, да непонятно куда...

— И тогда он упер зубную щетку Лизы, понятно. Но это случилось совсем недавно. А когда ты детям пригрозил, что найдешь внебрачного ребенка?

— Да уж месяца два тому... Или больше... Три, пожалуй.

— То есть о результатах генетической экспертизы они не знают?

— Конечно, нет!

— А если они маменьке рассказали о твоей угрозе?

— Катьке? Да у нее ничего в голове, кроме светской жизни, нет! Она рвется в «настоящие француженки», окопала весь бомонд Ниццы, купила два дорогих шмоточных бутика — на мои бабки, естественно, — и только тем и занята, что на все приемы лезет! А в последнее время выторговывает у меня еще один дорогущий бутичок в Каннах: у нее идея фикс, чтобы звезды во время кинофестиваля у нее одевались! Не вижу, зачем ей суетиться: у нее и так бабла выше крыши! Уж не знает, чего б еще учудить... Нет бы детьми заниматься, глядишь, не такими бы обормотами выросли...

Кис задумался. Ничего пока не вырисовывалось толком из этой беседы.

Он достал свой мобильный, нажал пару кнопок и поднес его к лицу Чеботарева.

— Вот она, Лиза, смотри! Ты хоть видел ее фотографию?

Юрий выхватил из его рук телефон и впился глазами в экран.

— Она на меня похожа! — изумленно произнес он.

— Значит, ты не видел ее снимок... А ведь мог бы Славе поручить переснять какую-нибудь фотографию у Галины в квартире!

— Не подумал... — сокрушенно покрутил головой Чеботарев. — А какая красавица, а?

— Еще какая, — согласился детектив. — Только ее похитили этой ночью, ты не забыл? Дочь твою спасать надо, а ты ничего мне существенного не сказал, ничем не помог!

— Да я тебе все рассказал! Думай теперь. Ты же детектив, а? Найди Лизу, я тебе хорошо заплачу!..

Кис вышел от Юрия Чеботарева со смешанным чувством досады, некоторой брезгливости, странно перемешанной с уважением, и еще...

С ощущением, что он узнал что-то важное.

Но где оно, это «важное», он никак нащупать не мог.

Хотя... Даже если до ответов еще далеко, — зато в его голове сформировались правильные вопросы. А это уже крупный шаг к разгадке!

* * *

После разговора с Алексеем Реми словно очнулся. Нет, Кис пока никакой подсказки не дал: тот факт, что у Лизы обнаружился папаша-олигарх, еще не отвечал на вопрос, кто ее похитил да с какой целью. Но следовало вырваться из тоскливого бездействия, из этой апатии, в которую их с Лораном погрузило чувство вины.

— Мне в жандармерии обещали предоставить полный отчет о показаниях четы Шарбонье. Я еду в участок. Кто со мной?

Вызвались оба, и Ксюша, и Лоран.

Завидев Реми, капитан буркнул: «Пока результатов нет». Детектив понял, о чем он: как только он передал сообщение в жандармерию об исчезновении Лизы Чеботаревой, ее немедленно объявили в розыск. Патрульные службы получили ориентировку на «Вольво» и фотографию Лысого, которую Реми скачал со своего телефона в компьютер капитана еще позавчера. Но: «Пока результатов нет».

Да он, по правде сказать, и не ждал. Лизу похитили в середине ночи, когда было темно, и с тех пор прошло достаточно времени, чтобы увезти ее и надежно спрятать, живую или мертвую...

Реми попросил почитать показания Шарбонье. Несмотря на позавчерашние дружественные заверения, на лице капитана мелькнуло неудовольствие. Но все же минут через пятнадцать детектива усадили за пустующий стол, на который легла папка с распечаткой показаний. Ксюшу с Лораном пришлось оставить в холле возле дежурного: «высшее доверие» было оказано только парижскому детективу.

Реми открыл папку и углубился в чтение.

...Почти все, что супруги рассказали, совпадало с рассказом Лизы. Хотя акценты были расставлены иначе. Им пришлось признать под напором фактов, что Лиза остановилась у них; однако они утверждали, что Лиза точно *обещала* отдать им своего ребенка на *усыновление*, тогда как, по ее словам, она только *раздумывала* над их предложением *понянчиться* с малышом на время сдачи экзаменов.

Капитан — честь ему и хвала! — послал своих людей вчера в Ружер, где они выяснили, что все в городке, от булочника до друзей, считали Анн беременной! Потому что у нее был *живот*!

Живот обнаружился в ее машине. Накладной. И *в машине*. То есть Анн надевала его, когда выезжала в город. Когда Лиза не могла ее видеть.

Вопрос о том, кому верить, отпал сам собой.

Однако из этого факта вытекало, что Анн была уверена в том, что ребенок Лизы достанется ей! Но почему, на каком основании? Или она рискнула на случай, если сделка с Лизой выгорит? А потом, если бы дело повернулось против ее ожиданий, соврала бы всем, что ребенок не выжил? Или...

Или Шарбонье изначально решили Лизу убить?

Но их показания полностью сошлись с Лизиными: Анн толкнула девушку, пытаясь отобрать у нее младенца. Это и в самом деле был несчастный случай, а не намеренное убийство...

Только если Его Величество Случай просто не помог им выполнить давно задуманное...

Одни вопросы.

Как бы то ни было, в городе все были уверены, что Анн наконец забеременела — а вот недавно и родила! Жандармерия уже выяснила, что Анн задекларировала в мэрии рождение собственного сына (еще один обман!), что, опять же, совпадало с рассказом Лизы. Именно из-за этого и возник скандал.

...После того как Лиза упала и ударилась головой об угол низкого столика, в доме Шарбонье поднялась настоящая паника. Винсент утверждал, что пощупал пульс Лизы, но его не было!

Может, правду сказал: в панике не разобрался... А может, и солгал. Теперь не проверишь.

Перепуганные супруги решили избавиться от

тела — мертвого, как они полагали. И подключили к этому делу бывшего пастуха, местного юродивого...

О том, что случилось дальше, в горах, следствию известно со слов Лизы.

Что же касается гибели Ирины, то Винсент Шарбонье всячески отпирался, несмотря на то, что в его мобильном обнаружился ее номер. «Да, — гласили его показания, — я позвонил ей и сказал, что Лиза отменила встречу! Больше ничего не знаю!»

Это была ситуация, которую Реми ненавидел: ясно, что Шарбонье лжет, — только он мог назначить Ирине свидание! — но доказательств нет, нет, нет...

В настоящий момент жандармерия искала «Пежо-307»; если повезет, если найдут машину, а в ней отпечатки Винсента, тогда можно будет расслабиться.

Но больше всего Реми интересовала любая информация, которая могла пролить свет на исчезновение Лизы. Однако Шарбонье в своих показаниях рьяно открещивались от Лысого. Да, в саду у Лорана находился Винсент, да. Он был настолько изумлен воскрешением Лизы из мертвых, что решил убедиться в этом своими глазами!

Это его сильно обеспокоило, да, но он ничего не собирался предпринимать! И к слежке какого-то Лысого за Лизой, равно как и к ее похищению, не имеет ни малейшего отношения!!! При этих словах Винсент Шарбонье даже осенил себя католическим крестом, как было помечено в распечатке допроса.

Где-то в их показаниях угнездилась ложь,

вернее, она была едва ли не в каждой фразе. Да только она не проливала свет на похищение Лизы, вот в чем проблема!

И что прикажете делать?!

Кис снова позвонил, когда Реми дочитывал последние строчки показаний Шарбонье и додумывал последние безрадостные мысли.

Сначала информацией поделился Реми.

Затем Алексей выдал отчет о встрече с Чеботаревым. Подробности он привычно опустил, сосредоточившись на главном: если Шарбонье не лгут насчет Лысого (что еще нуждалось в проверке, разумеется!), то, выходит, некто перехватил инициативу в свои руки, некий заказчик. А исполнителем является Лысый, может, еще кто-то с ним на пару — пока не важно.

— Они очень много неправды сказали, Кис, но мне почему-то кажется, что насчет Лысого как раз не солгали. Осенить себя крестом католику — это серьезно. Да и потом, если б у них были выходы на этого Лысого, который, без сомнения, профи, — то стали бы разве они валандаться с местным юродивым? Нет, Лиза уже бы давно исчезла, причем бесследно. А Шарбонье бы жили себе припеваючи, с ее ребенком...

— Тем лучше, меньше гипотез. Юрий Чеботарев тоже не может являться заказчиком: Лизу он еще только принялся искать, — с пылом говорил Кис, — и до сегодняшнего дня он понятия не имел, где дочь находится. Зато тот, кто «перехватил» Лизу, должен был знать о ее пребывании во Франции! Следовательно, он знаком с Шарбонье! Ведь даже мать Лизы считала, что она улетела в Италию! Возможно, это жена Юрия Чеботарева, — продолжал Алексей. — Сам он не верит в подобный расклад, но это ничего не значит: мы с тобой и не такое видали, дружище, верно?

— Верно... — согласился Реми.

— У них вилла в Ницце, на которой жена и дети практически постоянно живут, — интересное совпаденьице, а? Но давай пока будем считать это просто совпадением. Давай пока решим, что нам не важно, кто именно. Важно одно: человек, заинтересованный в похищении Лизы, существует, это раз. И два: он знаком с Шарбонье! Ты говоришь, что все еще в жандармерии находишься?

— Ну да.

— Реми, нам нужно срочно добыть ответ на вопрос: кто посоветовал этой семейке агента по недвижимости? Согласись, это мог быть только человек из России, у которого есть связи и контакты!

— И что с того?

— Кто-то *навел* Шарбонье на Лизу! Зная о том, что они никак не могли заиметь ребенка, о котором много лет мечтали, — это раз; и зная о Лизе: о беременности, об отсутствии денег и мужа, — это два. Навел, как на *потенциальную* жертву, подходящую по всем параметрам, которую уговорить ничего не стоит! Вот почему Анн так была уверена в исходе, что даже накладным животом обзавелась! Кто-то ее убедил в легкости дела. И этот «кто-то» — из России!

Реми воспрял духом. Верно, верно! Почему именно Лиза? Беременная, причем около семи месяцев? Пока то-се, пока сердобольная чета Шарбонье вернулась к себе, пока покупала билеты для Лизы в Италию, уже на восьмой перевалило. Уже не страшно устроить ей и преждевременные роды — Лоран что-то говорил на эту тему... С Лизой, как мы знаем, вышел облом: она не соглашалась отдать ребенка. Но это был поворот для Шарбонье неожиданный, откуда и вытекло все остальное... А вот кто же навел Шарбонье на Лизу? И какой интерес имел этот человек? Помочь бездетным друзьям?

Ну, уж нет. Иначе бы Лизу не стали похищать после того, как ее убийство руками Шарбонье провалилось!

Подобрав листки дела, он решительно направился в кабинет капитана, ткнул пальцем в те строчки показаний, где Анн Шарбонье утверждала, что Лиза «обещала» им своего малыша.

— Это не Лиза обещала... — заговорил он.

— А без вас непонятно, да? — перебил его капитан.

— Я не закончил фразу... Это кто-то другой убедил Анн, что дело выгорит. Тот человек, который направил ее к Лизе в Москву. Тот, кто знал, что Лиза беременна, не замужем и в бедственном положении!

— И кто же это? — хмуро спросил капитан.

— Тот, кто дал ей координаты агента по недвижимости в Москве!

— А какая нам разница?

— Э-э-э... — начал Реми, думая о том, что капитан сейчас снова заведется по поводу «парижан». — Скажите, как на ваш взгляд: Шарбонье действительно наняли человека, который похитил Лизу Чеботареву? Или в дело вклинился кто-то *другой*?

Капитан пожевал кончик уса.

— Склоняюсь к мысли, что другой... — осторожно ответил он. — Если верить вашим словам, то...

— А у вас есть основания не верить? — не удержался Реми.

— **Если верить вашим словам,** — повысил голос капитан, — то Лысый видел, что за вами приехала наша машина! Следовательно, если бы заказчиком были Шарбонье, то Лысый успел бы им сообщить, что поезд ушел, что вы едете к нам в отделение! И Шарбонье должны были отменить все распоряжения, если таковые имелись, — им незачем усугублять свое и без того дерьмовое положение!

— Согласен, — любезно ответил Реми. — Значит, Лысого послал следить кто-то *другой*. Но знать, что Лиза приехала во Францию, да к чете Шарбонье, а затем о ее мнимой смерти, о ее неожиданном спасении, о том, что теперь ею занимается доктор Бомон, — этот *другой* мог только от Шарбонье!

— Хм...

— Капитан, вы же сами понимаете, — польстил ему Реми, — что наличие *другого* человека говорит о том, что у него изначально имелся *другой* интерес к Лизе! Состоявший в том... Ну хотя бы в том, чтобы избавиться от ее ребенка путем передачи его Шарбонье. А может, и от самой Лизы... Но тут я не уверен. Не знаю, зачем ее похитили. Однако уверен, что это тот же человек, который изначально навел Шарбонье на нее. Поэтому нам очень важно выяснить: кто?

— Это должен быть русский! Или русская. Дать имя агента по недвижимости в Москве, как вы можете догадаться...

Дошло, слава богу!

— Да, разумеется, — покладисто ответил Реми. — Поэтому и прошу: допросите снова Шарбонье! Проверьте их телефонные переговоры за последние...

— Что у вас за манера, у парижан, считать, что вы все лучше нас знаете?! — вновь вспылил капитан. — А то я без вас бы не сообразил, что нужно звонки отследить?

«Средиземноморский темперамент»! — напомнил себе детектив. — Спокойно, Реми, спокойно».

— Извините. Я не хотел вас обидеть. Только мысль озвучил.

— А у других мыслей нет, только у вас?!

— Не обижайтесь, капитан. Я высказал *свои мысли*, вот и все. Если у вас такие же — значит, мы согласны. Зачем тогда ссориться?

Капитан отчего-то покраснел, дернул рыжеватым усом и направился к двери своего кабинета — отдавать распоряжения, видимо.

— Одну минутку... — вежливо произнес Реми. — В их показаниях есть еще одно темное место: Винсент, забравшись в сад доктора, хотел якобы всего лишь убедиться в том, что Лиза жива... Но он об этом уже знал! Он ведь съездил в горы, видел, что к чему... Ему нужно было узнать другое: где находится Лиза!

— Вы думаете, он все-таки связан с Лысым?

— С Лысым или нет, но Винсент эту проверку устроил по просьбе *другого* человека... С целью убедиться, что Лиза находится точно на вилле Бомона. Мне кажется, это может быть та же фигура, которая подсказала агента по недвижимости в Москве...

— А мне кажется, вы чего-то недоговариваете!

Реми сделал невинное лицо и поднялся.

— Я думаю, что анализ их телефонных разговоров многое покажет. Держите меня в курсе, пожалуйста. Я, соответственно, если что-то новое узнаю, тоже вам сообщу.

— Вы уходите?

— Не хочу утомлять вас своим присутствием, — любезно ответил Реми.

Капитан яростно блеснул глазами и вышел из кабинета вслед за детективом, бормоча в усы ругательства.

Лоран вскочил, завидев их в коридоре. В его глазах было столько невысказанных вопросов, столько надежды, что Реми отвел взгляд, ограничившись жестом, означавшим «на выход!».

Вскоре они уже рулили по дороге, ведшей в Ниццу, и Лоран слушал сдержанный доклад детектива о последних находках...

— Полностью согласен с вами, — произнес доктор, когда Реми закончил свой отчет. — Раз Анн носила накладной живот, то она должна была заранее синхронизировать его размер со сроком беременности Лизы, еще до ее приезда... Значит, она была практически уверена в том, что

252 заполучит ребенка. И такая уверенность появилась у нее неспроста. Кто-то мадам Шарбонье убедил, что дело выгорит, и навел ее на Лизу... И это человек, имеющий связи в России, понятно. Но зачем ему понадобилось похищать Лизу?!

— Это мы скоро узнаем, надеюсь... А пока, Ксю, Лоран, — у меня для вас сюрприз!

На него устремились две пары глаз, и Реми провозгласил:

— У Лизы обнаружился отец!

Ксюша ахнула:

— Надо же, в такой момент! Лиза пропала, а отец обнаружился!

Лоран чертыхнулся.

— Что нам с того? Где Лизу искать, вы знаете?

— Возможно, эти события связаны... — и Реми принялся пересказывать информацию, полученную от Алексея Кисанова.

Когда он дошел до слова «олигарх», Ксюша метнула любопытный взгляд на доктора: как он отнесется к этому известию?

Но Лоран, и без того хмурый, только еще больше нахмурился. А чего она, собственно, ожидала? Во Франции пресса немало пишет о том, как нажили свои состояния российские богачи, и синоним слову «олигарх» здесь один: преступник. А если Лоран не захочет иметь дело с дочерью бандита? — вдруг расстроилась Ксюша при мысли, что подобная новость может разрушить столь еще хрупкую, зарождающуюся любовь...

Господи, ну о чем она думает? Какая любовь, когда Лиза пропала?! Жива ли еще — вот главный вопрос. И как ее найти — второй главный вопрос!!! Не до романтики...

— А куда мы едем? — спросила Ксюша.

— Мы едем... Минуточку.

Он позвонил своему секретарю в Париж, попросил найти адрес виллы Юрия Чеботарева.

Вопрос о том, куда они едут, получил, таким образом, ответ.

— Думаете, в похищении замешана жена Чеботарева? — спросил Лоран.

— У меня нет других версий, у Алексея Кисанова тоже. Это не означает, что их не существует, — но просто у нас нет. Поэтому надо проверить ту, что в руках, согласны?

Получив от секретаря адрес виллы Чеботарева, Реми притормозил, ввел его в свой GPS, и они снова двинулись к Ницце.

Они уже въезжали в город, когда позвонил капитан.

— Могу нас с вами поздравить, месье Деллье, наша мысль была верной! — старательно-вежливо произнес он. — Мы проанализировали все звонки супругов и обнаружили, что во все критические моменты этой истории они звонили по одному и тому же номеру! И в тот вечер, когда Лиза разбила голову, и на следующий день, когда в озере утонула Ирина; и спустя еще день, когда Винсент Шарбонье съездил в горы и увидел, что пастух мертв, а яма пуста!

— А в ту ночь, когда Шарбонье забрался на виллу доктора?

— Есть, на следующее утро! Мы прижали обоих супругов, параллельно стали устанавливать принадлежность номера. Анн так и не призналась, все темнила. Зато ее муж раскололся.

254 Он, по правде сказать, — не в пример своей жене, — страшно переживает, это чувствуется...
Думаю, всю кашу баба его заварила и мужика
скрутила! — произнес капитан с долей злорад-
ства, и Реми подумал, что отношения с женщи-
нами у капитана складывались не слишком
удачно.

— А что сказал Винсент?

— Он показал, что у его жены есть русская
подруга, мадам Катрин Свиридофф, проживаю-
щая постоянно в Ницце. Где у него, к слову,
имеется второй кабинет! Он принимает там по
вторникам и пятницам... Именно данная подруга подсказала им агента по недвижимости, который, в свою очередь, вышел на Лизу Чеботарефф. Наши данные подтвердили правдивость
его слов: телефон действительно принадлежит
некоей Катрин Свиридофф. Сейчас будем изучать всю информацию по ней.

Реми поблагодарил капитана и, отключившись, тут же позвонил Алексею.

— Свиридова? — переспросил Кис. — Сейчас
выясню. У нас женщины обычно берут фамилию
мужа, но не всегда. Жди!

Они позвонили практически одновременно:
капитан и Кис.

— Это жена Юрия Чеботарева! — лаконично
сообщил Алексей.

И, едва Реми разъединился с ним, как мобильный снова заголосил в его руке.

— Фамилия этой Катрин Свиридофф в заму-
жестве — Чеботарефф! — зарычал капитан. —
Вы знали об этом, да? У нее такая же фамилия

по мужу, как у пропавшей Елизаветы Чебота-рефф!

— У нее нет фамилии «по мужу», — спокойно возразил Реми. — В России либо берут фамилию супруга, либо оставляют свою. У них не так, как у нас во Франции, где указывается девичья фа-милия, а затем «в супружестве».

— Что вы мне голову морочите?! Кто этот Че-ботарефф? Какое отношение имеет к нашей пропаже?

Реми помолчал несколько секунд, прежде чем ответить, предчувствуя, что цунами достиг-нет апогея. Ему даже представилось, как из теле-фона выплеснется поток яростной воды и зато-пит дно его машины.

— Это отец Лизы, — произнес он нейтраль-ным голосом.

В трубке раздался грохот. Реми поставил бы на то, что капитан грохнул кулачищем по столу в своем кабинете. Или все же бросил стул в стену?

Вот бедолага, пожалела капитана Ксюша, до которой долетали громы и молнии из телефона (как, впрочем, и раньше из-за двери его кабине-та) — это ж надо иметь такой темперамент! И силиться все время его подавлять — какая утомительная работа! Тем более что результат, прямо скажем, не блещет... Интересно, это ему гены так жизнь подпортили или мама плохо вос-питала?

— Ваше преимущество в том, — едва сдержи-вая ярость, проговорил капитан, — что у вас русская жена и вы имеете контакты в России!

Читай: не шибко ты умен, парижский детек-тив, — тебе просто повезло, что у тебя есть контакты! Которых нет у нас, доблестных жандармов!

— Конечно, — любезно согласился Реми. — Повезло! Как быстро вы сможете поставить ее телефоны на прослушку? — спросил он.

— Как только получим разрешение! Не знаете, что ли, как это делается?!

Реми знал: процедура эта не быстрая... Потому и спросил.

— Держите меня в курсе, пожалуйста, — вежливо произнес он.

— А где вы находитесь? — с подозрением поинтересовался капитан.

Но Реми быстро отключился. Он не хотел говорить где. Потому что они уже подъезжали к вилле Чеботарева.

— Уфф, — отдувался он со смехом, убирая телефон. — Думал, снесет!

— Как с ним люди работают? — покачал головой Лоран. — Если бы я так разговаривал с коллегами и пациентами, то у меня бы уже давно не осталось ни тех, ни других.

— Вы обитаете в профессиональной среде, где приняты отношения равенства. А капитан — в среде субординации, иерархичной.

— Он постоянно создает стрессовую ситуацию подчиненным, да и себе тоже. Что ухудшает рабочий климат и продуктивность работы всего коллектива, — заметил Лоран.

— Вы рассуждаете как врач. Вряд ли капитан задумывается над подобными вещами.

— Но, Лоран, это, наверное, врожденное? Гены? — спросила Ксюша.

— Склонность, безусловно, врожденная. Но основная причина — в распущенности, отсутствии привычки к самоконтролю.

— А кто мог его научить этому? Родители?

— В первую очередь, — кивнул Лоран. — В детстве этому научить легче. Но и...

— Мерд! — вдруг ругнулся Реми. — Надо было попросить Алексея, чтоб разузнал у Чеботарева, где в данный момент находится его жена! Как я сразу не сообразил, — в досаде покачал он головой, яростно нажимая кнопки сотового. — И номер ее мобильного не помешал бы...

Но соединение не устанавливалось. Телефон Киса был занят.

* * *

Кис уже в четвертый раз набирал домашний номер телефона Галины Мироновны, который был занят, в свою очередь.

Конечно, Реми скоро все разузнает, так что теперь суетиться незачем, думал Кис. Хоть Чеботарев и просил его найти Лизу, но искать ее в России Алексей никак не может. Это может делать Реми — во Франции. Вот пусть ему олигарх и платит.

Все правильно.

Только Кис был не в состоянии усидеть на месте. Вопрос о том, кто вывел супругов Шарбонье на Лизу, уже прояснился, но как *нашла* Екатерина Свиридова-Чеботарева Лизу? Как сумела опередить мужа?

Как она *узнала*, это очевидно: Юрий «ляпнул» деткам, детки «ляпнули» мамочке. Он, как это нередко свойственно мужчинам, — а тем бо-

258 лее таким богатым, — полагал, что у его семьи
есть все и даже намного больше того. Отчего все
счастливы и довольны. Но он забыл собственное
правило: «денег много не бывает». И, самое
главное, не учел того, что произнес слова о внебрачном ребенке с *угрозой*. С детьми у него отношения конфликтные, с женой равнодуш-
ные — вот они и испугались, что придется не
только делиться с каким-то внебрачным ребенком, но папаня, не дай бог, в случае очередной
ссоры и вовсе на этого ребенка все имущество
перепишет!

Здесь все понятно.

А вот как Свиридова *отыскала* Лизу?

Наконец ее мать откликнулась.

— Галина Мироновна, — проговорил Кис в
телефон, — месяца два-три назад кто-нибудь интересовался вашей дочерью? — задал он вопрос,
с ужасом думая: сейчас она примется его спрашивать, что случилось с Лизой, коли такие вопросы возникли.

— Кто это?

— Алексей Кисанов.

— Я думала, слесарь... — разочарованно протянула она. — Кран протек, битый час пытаюсь
слесаря вызвать... Что вы сказали?

Алексей повторил, перебирая в уме возмож-
ные ответы на случай вопросов о Лизе, — не-
правдивые, конечно, — правду говорить ему
очень не хотелось. Он все еще надеялся на бла-
гополучный исход дела, и тогда можно будет все
рассказать *постфактум*. Угроза смерти, пролом
черепа, преждевременные роды и, венец всему,
похищение Лизы — это все очень страшно пере-
живать в реальном времени, но совсем не так

страшно *постфактум!* При наличии хеппи-энда, разумеется.

Но нет, встречных вопросов почему-то не последовало.

— Не припомню такого... Вроде никто.

— Подумайте еще. Может, по телефону, или кто домой к вам приходил... О беременности Лизы говорили кому-нибудь постороннему?

— А что такое? При чем тут ее беременность? Ну, началось...

Кис искал слова.

— Дело в том, э-э-э... Что ко мне обратилась одна бездетная пара... Которая хотела бы усыновить ребенка Лизы... Но я не понимаю, откуда они узнали... Вот, хотел бы выяснить... — говорил он, ругая себя на чем свет стоит.

— Вот было бы хорошо! — обрадовалась Галина Мироновна. — Ни к чему нам байстрюк!

Алексей даже не нашелся что на это ответить.

— Так никто не интересовался? Про беременность, я имею в виду...

— Да никто вроде... Хотя погодите, приходила как-то девчонка. Примерно три месяца назад и будет... Говорила, что для собеса список делает. Вроде как она после уроков в школе подрабатывает... Спрашивала, кто у нас в квартире проживает. Ну, я и сказала, что мы вдвоем, но скоро втроем будем.

— А девчонка что?

— Да ничего... Записала в блокнотик и сказала, что нам помощь полагается. Когда Лиза родит.

— Другие вопросы задавала?

Галина Мироновна подумала.

— Ничего такого... Только спросила, когда роды намечаются.

— Какова из себя?

— Обычная... Хотя, пожалуй, не совсем... Такая вся расфуфыренная, а лет-то всего шестнадцать, на глазок... Я еще подумала: чего ей подрабатывать, когда на ней такие шмотки... Потом, помнится, в окно на нее посмотрела: к ней во дворе мальчишка подошел, помладше, на глаз. Сколько им платит собес, интересно, что такие упакованные детки взялись для него работать? Я даже подумала тогда, не пойти ли самой работу в собесе попросить...

— И как? — заинтересованно спросил детектив.

— Да никак. Решила, что если после своей основной я буду еще по домам ходить, то сил уже ни на что не останется...

— Галина Мироновна, а не было ли в тот период какой-нибудь странной пропажи, вроде зубной щетки?

— Господи, и дались вам эти щетки! Какой в них интерес?

Она, ясное дело, не подозревала, что они являлись генетическим материалом для установления отцовства. И Кис не собирался просвещать Лизину мать, по крайней мере не сейчас.

Он помолчал: авось пронесет.

Так-таки пронесло. Галина Мироновна, не дождавшись его ответа, молвила:

— Точно, щетку свою зубную Лизка не могла никак найти... Потом как раз и купила новую, «продвинутую».

Алексей быстренько распрощался и отключился.

Итак, около трех месяцев назад — Лизина мать точно дату не помнит — к ней заявилась некая девица, под видом анкеты для собеса выяснившая подробности о Лизе. И примерно в то же время зубная щетка исчезла.

Юрий Чеботарев тоже точно дату не помнит, но вроде как три месяца назад ляпнул своим «гаденышам» о внебрачном ребенке.

Следовало бы для полноты картины навестить вторую женщину, уверявшую Чеботарева, что беременна от него, — кажется, Еленой он ее назвал. К ней тоже наверняка приходили под каким-то предлогом... И тоже какую-нибудь щетку выкрали — для зубов или для волос... Или как-то иначе перекрутились.

Собственно, тратить на это время не стоило. Так оно и было — потому что иначе быть не могло. Кто-то проделал тот же путь, что и сам Чеботарев недавно, только с опережением на три месяца!

Теперь понятно, каким образом Екатерина Свиридова, супруга Юрия Чеботарева, могла навести своих друзей Шарбонье на Лизу!

Кто она, девчонка эта из собеса? В том, что она «левая», Кис не сомневался. Дочка ли Чеботарева? Или «мадам» подослала кого-то другого? Хотя там же еще мальчик ждал ее во дворе! Детки чеботаревские, как пить дать.

Впрочем, этот факт не отвечал на вопрос: как Екатерина Свиридова узнала о Галине, бывшей пассии мужа? Не сам же он ей рассказал?

Хотя... Все может быть на этом свете.

Снова звонок: Чеботареву на этот раз.

— Юрий, могла ли твоя жена каким-нибудь образом разузнать о Галине?

— Почему спрашиваешь?

— Это она навела Шарбонье — я тебе о них говорил — на Лизу.

— С чего ты взял?

— Винсент Шарбонье сам признался.

— Вот как... Катька, значит?

Алексей не ответил: он уже все сказал, чего еще.

— Могла, конечно. Вокруг меня есть люди, с которыми я с молодых лет дружу... Или в моих папках покопалась, фотографии нашла и письма — я все сохранил, по части документов я маньяк...

— Спасибо. Все понял.

— Да ничего ты не понял! Катьке это все до фени! У нее бабок за глаза! Что ей какая-то моя внебрачная дочка?! Ей и деткам моим и без того выше крыши! Не стали бы они такое дело затевать!

— Юра, извини, но Винсент Шарбонье четко произнес имя твоей жены. Это она навела их на Лизу. Сказала, что девушка — подходящий кандидат на то, чтобы уговорить ее отдать ребенка на усыновление. Веришь ты или нет, — но это факт. Выдумать имя твоей жены он не мог, как ты понимаешь.

— Катька?! Похитила Лизу?! Зачем ей?!

— Я как раз хотел спросить у тебя, не догадываешься ли...

— Нет.

Чеботарев умолк, и молчание его длилось весьма долго.

— Я вылетаю в Ниццу, — сообщил он наконец. — Буду сам разбираться на месте.

— Только ни в коем случае не предупреждай ее. Если Лиза жива, то после твоего звонка...

— Не учи. Сам знаю.

Конечно, знает. Большую школу прошел, пока состояние сколачивал.

— Скажи, с кем мне там связаться. Друг твой тамошний, как его...

— Реми. Ты по-французски говоришь?

— Не шибко.

— Тогда лучше запиши телефон его жены, она русская, ее зовут Ксения...

Кис не стал говорить Чеботареву, что «разбираться на месте» уже поздно. Пусть вылетает, мало ли, вдруг все же сослужит службу.

— А мне дай-ка мобильный твоей супруги, он Реми может пригодиться...

* * *

Вилла мадам Свиридовой — правильнее сказать, вилла Юрия Чеботарева, находилась не в самом городе, а малость на отшибе, на одном из многочисленных мысов Лазурного Берега. Большой дом, большая территория, огороженная высоким забором, столь непривычным французскому глазу.

Реми сделал еще одну попытку связаться с Алексеем, снова неудачную. Кис в этот момент разговаривал с Чеботаревым.

Детектив остановил машину у поворота к вилле, обернулся к Лорану и Ксюше.

— Как вы понимаете, сомнений в том, что к похищению Лизы причастна жена Чеботарева, практически не осталось. Поэтому нам нужно срочно найти ее: только она знает, где находится Лиза! Жандармерия вот-вот вышлет своих людей, чтобы ее допросить, и я, по большому счету, не имею права заниматься расследованием там, где уже действуют официальные власти. Но время играет против нас, против Лизы, и ждать, пока Свиридову допросят жандармы, мы не можем. Нужно срочно выяснить, где в данный момент находится мадам. У нее, по словам Киса, два бутика в городе, кроме того, она может оказаться на пляже, в салоне красоты, в гостях у подруги... В общем, вариантов слишком много.

— Давай я пойду, наведу справки! — перебила мужа Ксюша. — Я не частный детектив, мне можно!

— Именно это я и хотел предложить. Но для нас очень важно никого не насторожить. Ни людей мадам, ни саму ее. Если Лиза еще жива, — а я на это очень рассчитываю (при этих словах Лоран вскинул на него глаза с непередаваемым выражением надежды и отчаяния), — то мадам Свиридова, учуяв угрозу, может распорядиться поскорее избавиться от девушки... Поэтому я пока не хотел бы выступать как частный детектив. Но и тебе нужно придумать какой-нибудь предлог, достаточно убедительный, но при этом невинный...

— Кис говорил, со слов самого Чеботарева, что его жена «в настоящие француженки лезет», — задумчиво ответила Ксюша. — В таком случае очень вероятно, что у нее прислуга местная и по-русски не говорит... А я сделаю вид, что не говорю по-французски! Им будет проще от меня отделаться, соединив с самой Свиридовой!

— Умница, — одобрил Реми. — А дальше придется...

— Придется импровизировать, — подхватила Ксюша. — Я оставлю свой мобильник включенным в кармане, чтобы ты мог слышать, как развиваются события.

Реми подвез Ксюшу к высоким воротам и отъехал в сторону: он не мог парковать машину у въезда на виллу, там висел запрещающий знак. Он встал так, чтобы видеть ворота. Обитатели дома, даже если заметят его машину, не удивятся: ясно же, что гостья не пешком притопала на виллу!

Ксюша позвонила в калитку. Реми слышал, как ей ответили по-французски. Ксюша заговорила по-русски, поясняя, что ей нужно увидеть Екатерину Свиридову.

Ее не понимали.

Ксюша «не понимала» по-французски.

Наконец калитка растворилась, и ослепительной красоты молодой человек показался в ее проеме. Пояснил, что он секретарь мадам и что не может давать информацию незнакомым людям...

У таких, подумал Реми, должность обычно двойная: секретарь-любовник.

Ксюша в ответ на его тираду вновь повторила по-русски, что ей необходимо увидеться с Екатериной Свиридовой. «Меня интересуют ее модные бутики, понимаете? *Мода. Бутик. Мадам Екатерина Свиридова*. Понимаете?»

Расчет Ксении оправдался: молодой человек не выдержал и, достав навороченный смартфон из кармана, пробежал по нему пальцами. Реми было неплохо слышно его слова через включенный мобильный жены:

«Катрин? Тут какая-то русская девица тебя требует. По-французски она не говорит, что-то лопочет про бутики и моду... А, хорошо!»

Реми был уверен, что секретарь передаст трубку Ксении, но все обошлось куда проще: он написал в красивом блокноте с золотым обрезом адрес, выдернул листок и протянул его незваной гостье.

Ксюша, одарив секретаря признательной улыбкой, вернулась в машину.

— Наверное, мадам решила, что я потенциальная клиентка, и не стала осложнять мне жизнь... — усмехнулась она, передав листок Реми. — А красавчик этот, ты слышал, он с ней на «ты»! Не «мадам», а запросто так: «Катрин»!

— Да какая разница, Ксю? — Реми развернул машину и направился обратно в город.

— Как «какая»? Значит, никаких отношений между ней и мужем нет! До такой степени нет, что она даже не пытается скрыть, что этот жиголо — ее постельная принадлежность. Иначе бы он на людях обращался к ней официально! То есть от Чеботарева ей нужны только деньги и еще раз деньги. И сам он давно плюнул на жену, иначе опять же она хотя бы при посторонних скрывала истинную природу услуг, которые секретарь ей оказывает!

— Ксения верно говорит, — вдруг произнес Лоран. — Этот маленький эпизод показывает немало. Совершенно ясно теперь, что означало бы для Свиридовой появление внебрачной дочери мужа! Денежная доля мадам, как и ее детей, уменьшилась бы. Возможно, резко. Для людей, которым важны лишь деньги, это подобно катастрофе.

— А возможно, и вовсе бы сошла на нет эта доля, — подхватила Ксюша. — Помните, по словам Киса, Чеботарев называл их «гаденышами»? На таком фоне он мог бы к Лизе привязаться... И сделать ее единственной наследницей. Катрин наверняка поняла это в одно мгновение, как только услышала от детей фразу, которую бросил отец о внебрачном ребенке!

— Да уж... Мы с Кисом это тоже обсуждали, — согласился Реми. — А когда мадам поинтересовалась Лизой, то обнаружила к тому же, что у ее мужа намечается заодно внук или внучка... Она испугалась: муж мог рассентиментальничаться, особенно на фоне тотального отсутствия сантиментов в семье.

— Вы думаете, что человек, сделавший подобное состояние, нуждается в «сантиментах»? В чувствах? — удивленно спросил Лоран. — Он ведь и дочь свою принялся разыскивать только для того, чтобы досадить своим «гаденышам».

— Нуждается, конечно, Лоран, — ответил Реми. — Любой сволочи хочется иметь от своей семьи тепло и благодарность.

— Чтобы поддерживать у себя иллюзию, что хоть кому-то сделал добро, — тихо произнес доктор и умолк.

И Ксюша снова подумала с досадой, что очень некстати нашелся у Лизы отец-олигарх.

Подъезжая к бутику, Реми размышлял, сказать ли капитану, что Свиридова находится в одном из своих магазинов (машина жандармерии уже должна за ней выехать!), но решил, что не стоит. Жандармерия, как и полиция, имеет обыкновение обставлять свое появление громогласно, тогда как для короткого звонка с распоряжением «убрать» Лизу достаточно и двадцати секунд...

Нет, Реми не мог так рисковать! Придется самому.

Он отнюдь не рассчитывал, что мадам расколется и скажет, где искать Лизу, — нет, она будет стоять до последнего, даже если ее арестуют, на допросе в жандармерии! До тех пор, пока ее не припрут к стенке четкими фактами (которых, заметим, до сих пор нет). Но это может произойти слишком поздно. Поэтому Реми ставил перед собой задачу более узкую: напугать ее в достаточной мере, чтобы она позвонила Лысому, и перехватить их разговор.

В том, что Лизу увез именно он, Реми не сомневался: исполнителей подобного рода держат в единственном числе, не во множественном. Катрин Свиридова ведь не член бандитской группировки — нашла каким-то образом одного, ему черное дело и поручила.

Реми до сих пор не представлял, зачем Катрин Свиридова похитила Лизу. Убить? Чтобы навсегда избавиться от претендентки на мужнино добро? Это наиболее вероятно. Но, кто ее знает, — может, у нее на уме другой план: шантажировать Лизой супруга? Потребовать, к примеру, развода на своих условиях? Или причина совсем в ином: Катрин решила устранить жертву и свидетельницу в грядущем процессе над Шарбонье? Спасая их, она спасает себя...

Все может быть.

А пока надо ее вынудить позвонить. У Реми имеется аппаратик для прослушки переговоров — незаконный, да, зато для его использования не требуется разрешения прокуратуры! Главное, чтобы он не подвел...

Аппарат этот ловил все переговоры в определенном радиусе, так как являлся, по сути, радиоперехватчиком, изготовленным одним умельцем по заказу детектива. Реми, после демонстрации при покупке, перехватчиком ни разу не пользовался, нужды не возникало, и сейчас он с беспокойством думал, сумеет ли прибор достаточно четко поймать разговор через толстую наружную стену: во время демонстрации он прекрасно ловил разговор, но в соседней комнате...

Конечно, было б куда лучше прослушивать переговоры Катрин целенаправленно, но для этого следовало знать номер ее сотового: запустить в него программу-шпион, и дело в шляпе, слушай не хочу! «Эх, и что же там Кис засел на свой телефон, когда он сейчас так нужен!» — подосадовал Реми.

Реми настолько углубился в размышления, что голос Ксюши с трудом добрался до его сознания.

— А? Что?

— Какой у тебя план, спрашиваю?

— Я как раз и пытаюсь понять...

— А в чем проблема, объясни? Разве ты не собирался пойти поговорить со Свиридовой?

— Все не так просто, Ксю...

Лоран молча слушал, не вмешиваясь.

Реми еще немного подумал.

— План у меня вот какой: вынудить ее позвонить Лысому. Точнее, спровоцировать ее на звонок. Но при этом не очень сильно ее напугать, чтобы она не сделала распоряжений... э-э-э... — Присутствие Лорана напрягало детектива, вынуждало его искать щадящие слова. — В общем, роковых для Лизы распоряжений, скажем так.

— Вы считаете, что она... Что Лиза жива? — спросил доктор.

Реми считал, шансы на это имеются. Мадам Свиридова, судя по ее тонкой манипуляции четой Шарбонье, весьма хитра и осторожна. И даже если намерена Лизу устранить, то не может не понимать, что девушка объявлена в розыск. Спрятать ее, живую или мертвую, она должна далеко и надежно... А это лучше делать затемно.

В ночь похищения у них вряд ли имелось в распоряжении достаточно времени до рассвета.

Так что пока есть надежда найти Лизу живой.

Пока.

До наступления ночи.

Вместо ответа Реми просто кивнул, посмотрев на Лорана в зеркало заднего обзора.

— А зачем ее провоцировать на этот звонок? — нетерпеливо спросила Ксюша.

Реми пояснил.

— В общем, план у нас такой: первым делом нужно выяснить, где находится кабинет Свиридовой. Потом настроить перехватчик. Затем я пойду к ней и поговорю так, чтобы она забеспокоилась и позвонила Лысому. Разговор, возможно, будет идти на русском, если Лысый русский.

— Русский, — убежденно произнесла Ксюша. — Я чувствую, этот тип из наших бандюков!

— Согласен. Вряд ли мадам стала бы обращаться с таким поручением к французу. Да и не нашла бы подходящего человека, это не так просто. Зато русской мафии тут предостаточно... В общем, Ксю, ты обязательно должна слышать этот разговор: ты владеешь обоими языками, в отличие от нас.

— Давайте я пойду в бутик, — вдруг предложил Лоран. — Разведаю, где находится ее кабинет!

— Это магазин женской одежды... Не годится, Лоран, она может что-то заподозрить. Сделаем вот как: сейчас туда отправляется Ксюша. Заявляет продавщицам, что у нее с мадам назначена встреча. Девицы пойдут докладывать, а ты, Ксю, смотришь, куда они двинули. Если понадобится, то с самым непосредственным видом следуешь за ними до двери кабинета. Даю тебе на это три минуты, больше опасно: нельзя, чтобы разговор с Катрин успел завязаться, иначе она быстро просечет, что никакого дела у тебя к ней нет! Через три минуты я звоню тебе на мобильный, и ты, с извинениями и сладкими улыбками выходишь из бутика: поговорить, мол, надо, пардон.

— Все поняла, — кивнула Ксюша и приоткрыла дверь.

— Погоди, я не закончил! Ты выходишь, прогуливаешься возле бутика, болтая по телефону, и постепенно удаляешься от него. Перед тем как двинуть к машине, обязательно обернись, посмотри, не следит ли кто за тобой. Как только удостоверишься, что все чисто, идешь к нам. Мы будем стоять здесь, где сейчас, на углу. После чего я попробую наладить свой приборчик.

— Здорово! — произнес Лоран и впервые за весь этот день улыбнулся.

— Я тоже так считаю, — согласилась Ксения и выбралась из машины.

...Кис позвонил как раз в тот момент, когда Реми решил сделать последнюю попытку с ним связаться, — позже уже не имело бы смысла. С места в карьер Алексей посоветовал поинтересоваться у мадам ролью ее детей в этом деле:

— Три месяца назад о Лизе у ее матери расспрашивала некая юная девица — я уверен, что дочь Чеботарева. Сыграй на чувствительных струнах материнской души! По словам отца, именно мать с ними близка, именно она деток балует... Да, к слову, Юрий Чеботарев намерен вылететь немедленно в Ниццу, имей в виду, может пригодиться. Я ему дал номер Ксюши, по-французски он не говорит.

Может, пригодится, может, нет... Тут, как на минном поле: не знаешь, куда ногу поставить.

— Мне нужен номер мобильного Катрин Свиридовой, Кис. Достань у ее мужа, срочно!

— Пиши.

— Ты сам додумался?

— А было сложно?

— Ну, дружище, считай, что я утираю слезу умиления.

— Я тебе пришлю ящик носовых платков в подарок.

Реми достал свой ноутбук, подключил к нему мобильный, поколдовал над тем и другим, а затем набрал номер Катрин. Ее сотовый ответил ему, неслышно для хозяйки, и программа-шпион вползла в ее телефон.

Детектив обернулся к Лорану.

— Спасибо моему русскому другу, у меня теперь для прослушки есть средство понадежнее!

Он произвел еще какую-то манипуляцию в своем компьютере, и они услышали женский голос, говоривший по-русски.

— Это мадам Свиридова? — спросил Лоран.

— Или кто-то, кто находится возле нее.

— А если она позвонит, мы услышим то, что говорит ее собеседник?

— Должны.

...Разведывательная операция Ксении прошла как по маслу, заняв в общей сложности семь минут.

— Нужно к задней стороне бутика подобраться, — сообщила Ксюша, плюхнувшись на сиденье. — Ее кабинет с той стороны. Сейчас я тебе нарисую план!

— Уже не нужно, Ксю! — и Реми поделился с женой последними новостями. — Ну что, теперь моя очередь, — произнес он, отстегивая ремень безопасности. — Она может позвонить Лысому сразу же, как только я покину ее кабинет, так что слушайте внимательно!

— Вы уверены, что она позвонит? — спросил Лоран.

— Не уверен. Но психология преступника такова: почуяв угрозу, он захочет удостовериться, что все в порядке, что все идет по плану. На это я и делаю ставку.

— Согласен. А я не могу быть в этом деле полезен? Пойти переговорить с мадам Свиридовой?

— Лоран, не обижайтесь, нет. У меня большой опыт общения с людьми, которые лгут вам с самым честным видом. Вряд ли у вас он имеется, — улыбнулся Реми.

У Лорана имелся. Всего один, правда. С Шанталь.

— Да, вы правы, — улыбнулся он в ответ.

Реми вышел из машины и направился к бутику.

Лоран перебрался на водительское сиденье, поближе к компьютеру, и посмотрел на Ксюшу.

— Классный парень твой Реми. Если мы найдем Лизу, то...

— Найдем! — Ксюша сжала его ладонь. — Обязательно найдем, Лоран!

«Живую или мертвую...» — вспомнил он слова детектива.

Живую или мертвую?!

Ксюша поняла, о чем думает доктор.

— Можно задать тебе нескромный вопрос? — спросила она, желая отвлечь его от тревожных мыслей.

Лоран вскинул на нее удивленный взгляд, но почти сразу его лицо прояснилось, озарившись лукавой улыбкой.

— Какие у нас с Лизой отношения, да?

— Откуда ты знаешь?

— Я заметил, как ты на нас посматриваешь.

— Да... — смутилась Ксюша. — Я хотела тебя спросить: ты ее любишь?

— Ты имеешь в виду «влюблен»?

— Ну... пожалуй.

— Нет.

Ксюша удивилась.

— Это слово ничего не описывает. У меня было несколько мелких влюбленностей и одна сильная страсть. С Лизой же все иначе. Я просто чувствую, что это — *мой* человек. Тот, который мне нужен. Которого я даже не надеялся встретить... Она заполнила дыру, брешь в моей душе, точно вписавшись в нее по конфигурации.

Ксения задумалась.

— Я тебя удивил таким ответом?

— Если честно... то да.

— Я и сам удивился, когда это понял.

Он помолчал.

— Ее теперь нельзя отнять у меня. Потому что вместе с ней отнимется и моя душа.

Они умолкли, провожая глазами Реми, подходившего к дверям бутика.

— А я тоже на вас посматриваю, — вдруг произнес Лоран.

— Вот как? — растерялась Ксюша. — Я не замечала... И... и что же ты о нас думаешь?

— Что вы с Реми очень красивая пара, Ксения.

Бутик оказался крошечным, что вполне характерно для люксовых магазинов: выбор маленький, цены большие. Реми успел углядеть ценник на тонком кожаном ремешке: четыреста евро.

К нему немедленно бросились две девушки с вопросами, что могут сделать для дорогого клиента. Да уж, клиенты тут и впрямь *дорогие*...

Реми спросил о хозяйке.

— У вас назначена встреча? — распахнула неправдоподобно голубые глаза (линзы?) хорошенькая блондиночка с родинкой над пухлой губой.

— Нет. Передайте мадам Свиридовой, что с ней хочет поговорить частный детектив.

Она не откажет, Реми не сомневался. Непременно захочет узнать, что привело частного детектива к ней. Мадам не в курсе хода следствия, — неоткуда ей узнать, — но уверена, что Шарбонье ее не выдадут: признание о роли их русской подруги во всей этой истории будет равносильно признанию ими своих преступлений! В самом деле, если Шарбонье, к примеру, скажут, что Лизу посоветовала закопать в горах мадам Свиридова, то несчастный случай с последующей растерянностью и необдуманностью действий (как это пытаются представить следствию Шарбонье) сразу превратится в осознанное и осмысленное желание избавиться от девушки. То же относится и к Ирине: по сведениям капитана, Шарбонье звонили Свиридовой утром, а днем Ирина утонула в озере. Сознаться, что мадам посоветовала, как избавиться от кузины, — значит, сознаться в убийстве!

Так что от интереса следствия Катрин считает себя застрахованной. В то же время ей невдомек, что Лысый засветился: Реми следил за ним грамотно, себя не выдал.

Тем не менее визит частного детектива непременно вызовет ее настороженное любопытство: с чем пришел непрошеный гость?

Он был прав. Через несколько минут его пригласили пройти в глубь магазинчика.

Хозяйка кабинета стояла у окна и обернулась, когда вошел Реми. Высокая, худая, даже чересчур (кремовый летний костюм обнажал кости, выступающие в плечах и на груди), Катрин Свиридова обладала неожиданно округлым лицом, весьма красивым. Выглядела она лет на тридцать семь — тридцать восемь, что, скорее всего, и соответствовало ее возрасту.

— Чему обязана?.. — с чарующей улыбкой поинтересовалась она после стандартного обмена приветствиями.

— Я ищу Лизу, — сообщил Реми без предисловий.

— Вы о ком? — равнодушно спросила Катрин, усаживаясь на свое место за столом и указывая гостю на стул напротив.

Браво, отметил про себя Реми, она даже не стала изображать удивление. Хорошая актриса.

— Вы это отлично знаете, мадам. Давайте не будем терять время.

— Так не теряйте. Изъясняйтесь так, чтобы я вас понимала. Вы ведь кого-то ищете и пришли ко мне за помощью, правильно я вас поняла?

Она весьма грамотно говорила по-французски, хоть и с сильным русским акцентом, отметил Реми.

— Совершенно верно. Я ищу Лизу, и у меня есть основания считать, что вам известно, где она находится.

Свиридова вытащила из пачки тонкую сигаретку, — Реми обратил внимание на ее длинные пластиковые ногти с разноцветным рисунком и вкраплениями стразов, что для него однозначно служило признаком дурного вкуса, — закурила и принялась рассматривать витиеватый дымок.

— Вы невежливы, месье Деллье. Я спросила, о ком речь. Вы не ответили.

И снова она повела себя грамотно, отметил Реми: не вскинулась с вопросами: «Какие еще основания?»

Задача Реми (нажать на Катрин, но при этом не слишком ее напугать) выглядела отнюдь не простой. Он перебирал в уме те факты, которые он может выложить Свиридовой, учитывая эти два условия.

— Ваши друзья Шарбонье задержаны жандармерией. Думаю, вы в курсе. И они показали, что на Лизу их вывели именно вы!

Реми решил начать именно с этого, пока еще безобидного факта.

— Ах, вот вы о чем! — улыбнулась Катрин, пыхнув сигареткой. — Верно, я им рекомендовала квартиру в Москве. Они просили, я помогла. Так хозяйку этой квартиры зовут Лиза?

Сама невинность, черт побери!

— Как вы нашли эту квартиру?

— Я обратилась к своему агенту по недвижимости. Он и нашел. Я Анн и Винсенту сведения передала.

— Не дадите ли мне координаты вашего агента?

Правильный вопрос, одобрил сам себя Реми. Пусть пока думает, что он верит в существование мифического агента.

— Вы тоже хотите снять квартиру в Москве? — с едва слышной издевкой поинтересовалась Катрин.

— Я хочу познакомиться с вашим агентом.

— А, поняла: вы ищете знакомств с русскими девушками! — усмехнулась она.

— Уже нашел, мадам.

— О, поздравляю! Она хорошенькая, надеюсь?

— Очень. Так как мне связаться с вашим агентом?

— Никак, — пожала костлявыми плечами Катрин. — Я не даю телефоны людей, которые работают на меня.

— Или потому, что никакого агента не существует? Потому что вы нашли Лизу сами?

Катрин загасила сигарету. Ответа не последовало. Она, без сомнения, ощутила, что за словами Реми сквозит то ли знание, то ли пока только подозрение, что у нее имелись особые виды на девушку...

Реми решил свернуть с этой темы, не дожимать Катрин.

— Вы узнали, что Лиза беременна. И что находится она в довольно бедственном положении, отчего ваши бездетные друзья смогут легко ее уговорить отдать ребенка им, не так ли?

— Это они вам сказали? — изящно изобразила удивление Екатерина, сложив красивый рот в иронической улыбке.

— Не мне, жандармерии.

— Признаюсь, очень грустно констатировать, что мои друзья переложили ответственность за свои инициативы на меня...

— Из ваших слов следует, что они держали вас в курсе своих «инициатив», как вы выразились, — попытался он поймать Катрин.

— Это следует всего лишь из ваших слов, ме-

280 сье детектив, — парировала Свиридова. — Что они вам еще любопытного рассказали?

Ха, так ей Реми и выложил! Мадам пытается пронюхать, что стало известно следствию. У нее наверняка еще тысяча вопросов на языке крутится, в первую очередь такой: почему к ней пришел *частный* детектив и как это связано с официальным расследованием жандармов, — но спросить прямо она не осмелится.

— А где ваша дочь? — сменил тему Реми.

— Моя дочь? — на этот раз Свиридова удивилась по-настоящему. — Зачем она вам?

— Три месяца назад она приходила в квартиру, где проживают Лиза с матерью, и получила о них информацию. Подослали ее, без сомнения, вы.

— Бред, — пожала плечами Катрин. — Полный. А дети сейчас отдыхают в Доминиканской Республике. Они вернутся в конце августа, тогда вы сможете с моей дочерью пообщаться.

Блефует или нет? Проверить это легко... Но, скорее всего, говорит правду — легкая нотка торжества ее выдала. Она понимает, что допрашивать ее детей в конце августа будет поздно. Во всяком случае, для того, чтобы найти Лизу. Уверена, что успеет провернуть свое грязное дельце, а там и дело само собой зависнет: нет трупа, нет и преступления, как известно.

Свиридова снова потянулась к пачке сигарет, достала одну своими длинными разукрашенными ногтями, но передумала и убрала ее обратно в пачку.

— Мать Лизы легко опознает ее по фотографии. Так что зря вы надеетесь выкрутиться!

— Мать Лизы? Да кто же ей поверит, пьющей женщине!

«Проговорилась! — удивился Реми. — Признаться, он не ожидал...»

— А вы неплохо осведомлены для человека, который не помнит, кто такая Лиза! — Реми посмотрел на Катрин в упор.

— Так мне Анн с Винсентом об этом рассказали! Когда из Москвы вернулись! — она, в свою очередь, посмотрела на детектива с насмешкой.

Нет, не проговорилась мадам — она отлично знает, что можно и что нельзя произнести, каждую реплику наперед взвешивает. И даже не слишком скрывает свою игру.

— Очная ставка покажет.

— Очная ставка? С кем? На каком основании?

Реми не ответил, и Катрин вдруг сделала озабоченное лицо.

— А что, собственно, случилось с этой девушкой... С Лизой? Почему все эти вопросы? И почему — ко мне?

Реми понял, что пора сворачивать разговор.

— Лиза пропала, — покладисто, почти простодушно пояснил он. — Ваши друзья не знают, куда она делась. Но, поскольку во всей этой затее с Лизой и ее ребенком принимали участие вы, то я подумал, что...

— Я в *этой затее* участия не принимала!

— Странно, я почему-то вам не верю...

— У вас есть доказательства обратного?! — повысила голос Катрин.

— Нет, — развел руками детектив.

Свиридова прищурилась, бросила уничижительный взгляд на Реми и проговорила ледяным тоном:

— В таком случае извольте покинуть мой кабинет! У меня слишком много дел, чтобы терять время на никчемные разговоры!

Реми охотно исполнил ее пожелание. Очутившись на улице и убедившись, что никто не вышел за ним вслед, он двинулся в ту сторону, где стоял его «Лендкрузер».

— Реми! — Ксюша выскочила с пассажирского сиденья и кинулась к мужу. — Реми, она позвонила!

Прошло не больше трех минут с тех пор, как Реми покинул ее кабинет, а Катрин *уже* позвонила! Его расчет оказался правильным.

— Тише, мон кёр. Не стоит кричать на всю улицу, — он прибавил шагу навстречу жене, дошел и обнял. — Что ты слышала?

— Они говорили по-русски, — возбужденно зашептала Ксюша, — очень коротко. Она спросила: «Все в порядке?» Он ответил: «Да, я на месте. Жду вечера, как договорились».

— Ни слова о том, где это место?

— Нет, — покачала головой Ксюша.

— Возвращайся в машину!

— А ты что будешь делать?

— Пойду телефон у нее отберу, чтобы исходящий номер увидеть. И постерегу ее до приезда жандармов, — улыбнулся детектив.

Две девицы-продавщицы — та блондинка с родинкой и вторая, темненькая, — шарахнулись от детектива, рассекавшего магазин тараном в направлении служебных помещений.

Он резко распахнул дверь кабинета.

Катрин Свиридова сидела за своим столом, задумчиво глядя на мобильник, лежавший перед ней.

— В чем дело? — с угрожающей интонацией начала подниматься она из-за стола. — Кто вам дал право врываться в мой...

Реми сделал короткий бросок и схватил ее телефон. Быстро просмотрел последний исходящий, запомнил, положил телефон Свиридовой к себе во внутренний карман летнего жилета, надетого поверх рубашки (важный атрибут рабочей одежды благодаря многочисленным карманам!). Не обращая внимания на протесты мадам Свиридовой, он вышел в зал бутика, набирая на ходу номер жандармерии.

— Капитан?.. — проговорил он.

И в этот момент на него обрушилась сзади разъяренная Катрин.

— Отдайте мой телефон, — шипела она, больно вцепившись крепкими пластмассовыми ногтями в его плечи, — по какому праву?! Я сейчас полицию вызову!

— Не стоит, — Реми сбросил ее руки с себя. — Она сейчас и так приедет.

— Что там у вас? — изумился капитан в телефоне.

— Кошка тут на меня одна напала, одичавшая... Ой! Она царапается! Погодите, капитан!

Не выключая трубку, Реми сунул ее в карман, развернулся к Свиридовой и перехватил ее руки, сильно сжав худые запястья.

— Не в моих правилах бить женщин, но если вы не прекратите драться, то я буду вынужден вас треснуть, мадам, — с любезной улыбкой произнес он. — Стойте смирно, все равно вы опоздали!.. Капитан, — Реми пришлось отпустить запястья Катрин, чтобы снова взять телефон, но зато крепко ухватил ее под руку, — мадам Свиридова находится в бутике по адресу... — он продиктовал. — Близко, это как? Ну, если минут десять, то я ее удержу, пожалуй... Ай! Она кусается!

В самом деле, Катрин, извернувшись, больно укусила детектива в основание шеи.

— Только не больше, капитан! Не то мне придется делать уколы от бешенства!

Той рукой, которая была продета под локоток Катрин, он резко развернул женщину от себя — так, что она была вынуждена выпустить его шею из зубов. Правда, ему показалось, что вместе с куском мяса, — его личного родного мяса из личной родной шеи!

— Капитан, слушайте самое главное! Номер мобильного Лысого, пишите скорее, пока от меня не осталась горка фарша...

Катрин вдруг резко выкрутилась из хватки детектива и бросилась к входной двери.

«Мерд!» — ругнулся Реми, снова засовывая телефон в карман и разворачиваясь вслед Катрин.

У двери, раскрыв руки, словно для объятий, стоял Лоран.

Катрин застыла в двух шагах от него.

Реми показал Лорану за ее спиной большой палец и достал свой многострадальный мобильник с многострадальным капитаном на связи.

— Лиза с ним, с ним, с Лысым! Пеленгуйте его номер срочно!

На этот раз, убирая сотовый в карман, Реми

его выключил. Подошел сзади к Катрин, продел свою руку под ее правый локоть и показал глазами Лорану, чтобы тот подхватил мадам под левый.

Завершив эту процедуру, они развернулись втроем и двинулись назад, в сторону кабинета мадам Свиридовой. Катрин скребла каблуками по полу, сопротивляясь, но это уже никого не волновало.

— Девушки, — бросил Реми на ходу, — вы свободны на сегодня. А может, и на несколько ближайших лет...

Продавщицы пугливо закивали и, прихватив свои сумочки, быстро вымелись из бутика.

Заведя Катрин в кабинет, они отпустили ее, встав плечом к плечу у двери.

— Ты молодец, — шепнул Реми. — Без тебя я мог бы ее упустить!

Лоран неопределенно кивнул в ответ.

Катрин уселась на стол, потянулась за пачкой сигарет и демонстративно прикурила свою пахитоску, закинув ногу на ногу. Короткая юбка поползла вверх, открыв тощие ляжки. Свиридова, видимо, была когда-то манекенщицей, если судить по ее росту и худобе, и полагала, что ее поза соблазнительна.

Впрочем, Реми был к ней, наверное, несправедлив. Вряд ли Катрин сейчас озабочена своей позой и своей юбкой. Если она чем и озабочена, то только вопросом, как бы вывернуться!

Неожиданно Лоран заговорил:

— Катрин, скажите нам, где Лиза. Она жива? Прошу вас, скажите!

Боже ты мой, сколько мольбы было в его голосе! Монблан бы растаял, изойдя слезами тающих снежных вершин... — но не Свиридова. Ей своя шкура дороже, и сейчас она занята исключительно спасением этой шкуры! А спасение ее в том, чтобы никто не узнал, где Лиза! Чтобы ее никогда не нашли. Потому что только Лиза может свидетельствовать, что похитил ее именно Лысый. Которому несколько минут назад звонила мадам!

Шарбонье же начнут говорить *всю* правду лишь тогда, когда узнают, что их подруга, мадам Свиридова, арестована и больше не послужит им надежным прикрытием...

Лоран всего этого не понимал, будучи далеким от криминальных сфер, от следствий, суда, прокуратуры, доказательств, улик и прочих специфических вещей, которые не укладываются в сознание нормального человека. Он разговаривал с Катрин как врач — хороший такой доктор, который знает, что с людьми случаются отклонения-болезни, но знает и то, что болезни нередко излечиваются...

Реми нашел руку доктора, сжал, давая понять, что бессмысленно задавать вопросы.

Но Лоран к его пожатию остался глух.

— Вы же знаете: если вы поможете следствию, то это зачтется вам на суде! — продолжал уговаривать Катрин доктор.

Она окатила его презрительным взглядом и бросила:

— Козел!

Реми знал это русское слово, но переводить Лорану не стал.

— Заткнись, Лоран! — прошептал он. — Бесполезно. Не унижайся.

— Лысый сказал: «Я на месте». Как мы будем искать это место, Реми?!

— Жандармерия запеленгует его сотовый...

И вдруг на Реми снизошло озарение. *«Я на месте»!* Значит, это какое-то такое место, до которого нужно было доехать...

Еще несколько соображений молнией мелькнули в его мозгу.

Реми вытащил телефон.

— Капитан, свяжитесь с итальянской полицией! Скажите, пусть они этот номер пеленгуют у себя! Где-нибудь не слишком далеко от границы... Уверен я, уверен! — И, посмотрев на побелевшую Катрин, Реми добавил: — НА ВСЕ СТО!!!

Лицо Катрин Свиридовой словно облетало, как осенний куст. Вот слетел лист-спесь, вот слетел лист-самонадеянность, вот слетел лист-презрение, лист-высокомерие, лист-уверенность в своей ненаказуемости, в своем превосходстве, в своем уме-хитрости...

Капитан что-то говорил, но не Реми, а своим подчиненным. Его слов детектив не разобрал.

— Скорее, капитан! Я вам гарантирую, что Лысый с Лизой в Италии!

— И откуда же у вас такие гарантии? — произнес капитан с дружелюбной усмешкой.

Но уже не в телефон, а на пороге кабинета Катрин Свиридовой.

— Наконец-то, — произнес Реми, обернувшись. — Я бы один эту зверищу не удержал, спасибо доктору, помог!

Вслед за капитаном в кабинет просочились двое жандармов, которые сразу направились к мадам Свиридовой. Та вдруг поползла от них на четвереньках по столу в сторону окна, — непонятно зачем, ведь на нем была решетка... Приступ паники?

Некоторое время мужчины, оторопев, созерцали ее голые ягодицы (трусы-стринги мало что прикрывали), которые обнажила задравшаяся короткая юбка.

Наконец Свиридова добралась до окна и, вцепившись в его ручку, развернулась, села, обхватив руками худые колени. Глаза ее были полны ужаса. Ни дать ни взять трепетная лань, за которой несется хищник... Реми не мог понять, играет Катрин, или на нее впрямь сошло легкое помешательство? Впрочем, теперь это не имело никакого значения.

Жандармы подошли к ней с обеих сторон, предлагая слезть со стола. Один даже руку протянул, чтобы помочь спуститься. Но Катрин все сидела, сцепив пальцы на коленях. Посмотрев на них, капитан вдруг широко улыбнулся, оскалив крупные зубы.

— Вы не бойтесь моих ребят, мадам. Они милые мальчуганы, хорошо воспитанные. В отличие от меня, предупреждаю. Так что вам лучше довериться им.

С этими словами капитан, махнув рукой Реми и Лорану, вышел из кабинета. Детектив с доктором последовали за ним. Встав посреди стоек с нарядными платьями, капитан проговорил, глядя на Реми:

— Если ты лажанулся, детектив, и мы в Италии Лысого с Лизой не найдем, то не сносить мне головы! И я уж позабочусь о том, чтобы и твоя слетела, понял?!

В переходе капитана на «ты» был знак дружественности, Реми знал: его приняли в круг «своих».

— Понял, понял, — ответил он. — Италия уже взяла на себя эстафету?

— Ну. Исходя из твоих слов, между прочим!

— Тогда едем в сторону границы! Доктору не терпится встретиться с любимой девушкой!

— Прыткий какой, ишь! Туда уже все, кому надо, поехали! Ты мне сначала расскажи...

Он не договорил. Жандармы вывели Катрин Свиридову из кабинета и направились к дверям. Оставшиеся проводили их глазами.

— Так сначала скажи мне, откуда ты взял Италию? — вновь заговорил капитан. — Потому как, если ты лажанулся...

— Капитан, не повторяйтесь.

— Меня Гзавье звать.

— Тогда, Гзавье, не повторяйся!

— К твоему сведению, детектив, я вчера решил ангелом стать. То есть ангельского терпения набраться. Так что ты меня не выводи из себя, ладно?

— Ангельское терпение, — заметил Лоран, — это терпение безграничное. И без всяких условий.

— Доктор, вот если бы вы перестали способствовать выведению меня из себя... — зыркнул капитан на Лорана.

Реми с трудом сдержал улыбку.

— ...Так откуда у тебя взялась Италия? — развернулся Гзавье к детективу.

— Я прослушал их разговор... при помощи одной штуковины. Убивать будешь?

— Да иди ты в жопу! Если ничего другого не надыбаем, то убивать тебя суд будет. А если надыбаем — так и по фигу, что ты там слушал и с помощью каких средств!

— Ладно. Первый «звоночек» — фраза Лысого: «Я на месте». Она означает, что он куда-то приехал. То есть ехал-ехал и приехал. А куда тут у нас можно «ехать-ехать»?

— Ну, можно и в Париж, к примеру.

— Но не нужно. Смысл в том, чтобы Лизу устранить так, чтобы никто не нашел ее, ни живую ни мертвую. Париж для этого не подходит.

— Для этого лучше всего подходит море.

— Согласен. И подальше от нашего берега.

— Зачтено. Давай второй, если есть.

— Есть. Лиза объявлена в розыск. На нашей территории, французской. Будь я на месте убийц, то вывез бы жертву на чужую территорию — на ту, где Лиза не объявлена в розыск...

— В Италию... — согласился Лоран.

— Она тут ближе всего, — кивнул Реми. — А там, на границе с Францией, процветает целый букет мелких дельцов от нелегального бизнеса... Контрафактная продукция, проститутки, наркотики — много темного народца там крутится, обеспечивая запросы интернационального потока туристов, едущих из Франции. Договориться с ними о том, чтоб они избавились...

Реми снова вспомнил о чувствах Лорана и запнулся в поисках щадящих слов.

— Я понял, — сообщил Лоран. — Не трудитесь.

— И я понял, — сообщил капитан.

— Еще один момент. Лысый ждет ночи, чтобы покончить с Лизой. Скорее всего, как ты сам заметил, вывезти ее в море и утопить. Лучшего способа избавиться от... от девушки нет.

— Почему ты решил, что Лиза еще жива?

— Катрин хитра и предусмотрительна. Она не исключает, я уверен, такой расклад, что труп, несмотря на все ее предосторожности, могут обнаружить довольно быстро. И экспертиза установит время смерти. Поэтому ей важно, чтобы это самое *время смерти* наступило на территории Италии, где Лизу никто не ищет, а не Франции. Они ждут наступления темноты, чтобы вывезти девушку в море... И никуда до сих пор не торопились, поскольку не подозревали, что мы наступаем им на пятки... А Лысый и сейчас не подозревает.

— Принято, — проговорил капитан. — И через границу ему проще везти живую девушку, а не труп... Ладненько. С Италией, особенно с пограничными районами, у нас кооперация постоянная, механизмы наработанные, отлаженные, и работа уже пошла, закрутилась. Сбоев не будет, обещаю. Давайте двинем в Италию, я с вами прокачусь! По коням, парни!

Реми с доктором вернулись в машину, где их заждалась Ксюша. Гзавье выехал вперед, мигнув им фарами, и они рванули ему вслед.

Капитан включил мигалку, и ехать за ним было сплошным удовольствием.

* * *

Лысого звали Гришей. Он бы оскорбился до глубины души, узнав, что кто-то прозвал его «лысым». У него все-таки было немало волос вокруг тонзуры, и ему казалось, что лысина вовсе незаметна и что посторонние должны его характеризовать как шатена.

Посторонние, если бы и приняли в расчет эту жалкую оборочку волос, то назвали бы их наверняка пегими. Взгляд Лысого на себя фатально расходился со взглядом других людей на него, но сие противоречие ему было неведомо. Как всем ограниченным людям, ему не дано было постичь точку зрения другого — на себя ли самого, на другие ли вещи, сложные или простые, философские или житейские.

В силу чего он не мог постичь и сложную парадигму «хорошо — плохо», поскольку она тоже требовала восприятия *другого*. Совесть, нравственность — это понятия, которые определяют поведение одного человека по отношению к не-себе, к другому человеку. По отношению же к себе, любимому, оценки «хорошо — плохо» определяются простым шкурным интересом.

В тесном мире Гриши, мире собственных импульсов и желаний, подобных понятий не существовало. В нем все было хорошо, что хорошо ему. Он делал работу и получал за нее деньги. Другой работы, кроме как украсть, пытать, убить, он не знал. И не подозревал, что она чемто хуже любой другой. Раз деньги платят — значит, хорошо!

Но на этот раз его вдруг что-то непонятное разобрало. Девчонку велели украсть, а ближе к ночи — прикончить. Вроде нормально. Не впервой. И что его такое разобрало, блин?

Она лежала в багажнике его машины, он ее не видел с тех пор, как приехал на место, в небольшую рыбацкую деревушку в Италии. Когда проезжал границу, то посадил ее рядом с собой: хоть нынче между странами нет постов, он знал, что машина полиции или таможни способна вынырнуть буквально ниоткуда. А там и багажник могут попросить открыть...

Поэтому он девчонке впихнул пару «колес», усадил на пассажирское сиденье. Если что, если вдруг контроль, — так ничего особенного, спит девушка. А чего же ей не спать, ранним утром-то? Нормально.

Приехав «на место», он поставил свой «Вольво» в укромное местечко, перетащил девчонку в багажник, а сам отправился погулять. За тачку свою он не беспокоился: кому такая развалина нужна? К тому же в деревушке его знали: он, хоть и нечасто, наведывался сюда, чтобы взять напрокат катер и *порыбачить*.

На катере том он много делишек проворачивал. И людей перевозил, живых и мертвых, и товары разные... Хотя случалось ему и впрямь порыбачить, когда работы не было.

В деревушке, разумеется, никто о природе его дел не догадывался, и ее благожелательные обитатели относились к «русскому» с симпатией.

Гриша погулял, потом поспал в машине; затем отправился в маленький местный бар, заказал пиво... И все никак не мог отделаться от взгляда девчонки. Того, который она бросила на него, когда он ее с виллы тащил.

Она спала, когда он, слабо засветив фонарик, заклеил ей рот и взял ее на руки. Но почти сразу открыла глаза и посмотрела на него с такой любовью!

Гришу до сих пор продирал этот· взгляд, и он даже начал подумывать, как бы так сделать, чтобы оставить девчонку при себе, а Катьке Свиридовой наплести, что утопил ее... Получить от нее вторую часть гонорара и смотаться от всех подальше с Лизой...

Которая посмотрела на него с *такой любовью!* На Гришу никто так до сих пор не смотрел!

...Ему было невдомек, что Лиза бросила взгляд не на него — на *другого!* На того, кто ей снился перед жестоким пробуждением...

Нет, не коснулась Гришиного мозга подобная мысль.

Он уже третий час пил пиво в местном баре... И страдал. Очень уж ему хотелось заполучить девушку в собственное пользование. Ему даже стал грезиться маленький домик в Итальянских Альпах, где он поселится с девчонкой, и она будет смотреть на него с *такой любовью...*

Денег на домик ему бы хватило. Но если он оставит работу, то их больше не будет. А девчонка начнет денег требовать — бабы, они все такие! И если он денег не будет ей приносить, то она перестанет смотреть на него с *такой любовью!*

Не складывалась мечта в его хмелеющем мозгу, никак не складывалась.

Не зная, как ответить на столь сложные вопросы, Гриша продолжал напиваться в местном баре. Время до ночи у него еще было — успеет протрезветь, пиво не водка. Зато пиво снимает стресс и расслабляет мозг, считал он. И тогда правильные решения приходят сами, — был убежден Гриша.

Мысль о том, что полиция могла взять его

след, Гришу даже не посещала: сам он все провернул грамотно, а Катька Свиридова (назвал он заказчицу «Катькой» исключительно про себя, вслух бы никогда не осмелился; зато про себя так называть ее было приятнее: это низводило холеную богатую дамочку до уровня *бабы*)... Катька его выдать не могла. Это ж ей прямой тюрьмой грозило!

Так что Гриша спокойно наливался пивом и мечтал.

Когда в бар вошли две симпатичные девушки, он посмотрел на них замутненными глазами. «А моя девчонка красивее», — подумал он.

И снова воображение понесло его к маленькому белому домику в Альпах, и девчонка в фартуке (ну, она же готовит для него еду, понятно) смотрит на него любящим взглядом, когда он приходит с работы...

С какой *работы* — этим вопросом Гриша уже не задавался. Мечта была столь сладостной, что не хотелось ее портить лишними деталями...

...К этим двум милашкам присоединились два парня. Они все выглядели такими счастливыми... Грише тоже хотелось быть счастливым! Он имеет право!

Компания отоварилась кружками пива и принялась шумно устраиваться за столиком позади Гриши. Он на них обернулся. Милашки ему улыбнулись. Одна что-то сказала ему по-итальянски, но он ни черта не понял. Он хотел было им сказать, что он русский, как вдруг спохватился: что-то он расслабился! Ему особо светиться тут ни к чему. Конечно, он тут не впервые, в баре его знают — симпатичный такой русский, страстный рыболов, — так что ничего особенного... Но все же надо быть осторожнее.

Он посмотрел на часы. До ночи еще есть время, но из бара пора сматываться, хватит. Погуляет где-нибудь, голову проветрит.

Однако настырные милашки подошли к нему, что-то лопоча по-итальянски. Жестами показывали, что за свой столик приглашают...

Неожиданно в захмелевшем мозгу Гриши завыла сирена опасности. Он с улыбкой покивал девушкам, бросил несколько евро на стол, поднялся, словно отвечая на их приглашение и направляясь к их столу...

И тут же резко повернул к выходу.

На улице он осмотрелся. Его немного покачивало, и он пожалел, что позволил себе выпить столько пива.

Но вроде бы все спокойно... И Гриша двинулся в ту сторону, где в укромном местечке стоял его верный «Вольво».

Как вдруг навстречу ему, откуда ни возьмись, вынырнули двое полицейских в черной форме. Или жандармов, черт их разберет!

Гриша неспешно повернулся и направился как бы к бару. На самом деле за ним имелся узкий проход на соседнюю улочку — в деревушке их было всего три, — через который Гриша намеревался улизнуть из зоны видимости этих двоих в черном.

С противоположной стороны навстречу ему тоже шли двое в форме.

Гриша не верил своим глазам. Не может

быть, чтоб они тут по его душу... Никто не знает о нем! Никто не знает, где он! Он все сделал грамотно! Он умеет!

Стараясь не торопиться, не выказать паники, овладевшей им до слабости в коленках, он изменил первоначальную идею проскользнуть между домами и решил вернуться в бар. Там, возле туалета, есть служебный вход. Проскочить через кухню, вырваться в маленький двор, где стояли мусорные баки, а затем на параллельную улицу... И делать ноги, срочно!

Эти в черном не суетились, не размахивали пистолетами, и Гриша еще надеялся, что у них тут просто контроль... Какой-то и зачем-то, вот они сюда и приперлись, но не за ним!

Он взялся за ручку двери кафе.

Дверь распахнулась перед ним словно сама.

На пороге стояли две милашки, чуть подальше и их парни. Все четверо улыбались Грише.

Он отступил назад, на улицу...

Поздно, черт, поздно!!! Те, в черной форме, уже приблизились к бару!

За ним они приехали, — понял Гриша. ЗА НИМ.

Милашки крепко взяли его под руки, и парни тут же подскочили к ним. Через мгновение запястья его свели за спиной наручниками.

Его быстро обыскали, но ничего не нашли. Он же не дурак, носить при себе оружие. И «колеса» он оставил в машине. В кармане брюк у него лежала только пластиковая карточка, французский вид на жительство. И даже не поддельный — он получил его семь лет назад, наплетя с

три короба о преследовании в России за гомо-
сексуальные наклонности (которых у него не водилось). Эти защитники прав человека быстро
рассопливились и дали ему политическое убежи-
ще, хе!

Гришу вывели из бара. Откуда ни возьмись,
вынырнула машина с надписью **Carabinieri** — «ка-
рабиньери» — на борту, которую он опознал без
труда: не раз видел машины итальянской жандармерии на дорогах с этим проклятым словом...

Гриша не понимал, как его могли найти. Решительно не понимал! В деревушке его никто ни
в чем не подозревал, это точно, — поводов не
было. А о его местонахождении не знала даже
Катька Свиридова! Если и предположить, что
она раскололась, — хоть ей это смерти подобно, — она НЕ ЗНАЛА, куда поехал Гриша! Он
ведь ей только сказал, что есть у него на примете
местечко, откуда можно будет ночью выйти в
море без проблем...

Так как же его вычислили?! — мучился в бес-
плодных поисках ответа «шатен» Гриша...

Его засунули на заднее сиденье с двумя жандармами по бокам.

Машина жандармов привезла его к той пло-
щадке на отшибе, на которой он оставил свой
«Вольво». Багажник был безжалостно вскрыт, а
девчонку на носилках укладывали в машину
«Скорой помощи». Похоже, она была мертвая:
лицо белое, глаза закрыты. Задохнулась, что ли,
в багажнике? Хотя у него там щели с палец, не
должна была... Да какая ему разница, все одно,
ей помереть суждено было!

Плохо лишь то, что если она уже померла, то ему срок больше дадут...

В этот момент Гриша даже не вспомнил о белом домике и пасторальной картинке своего счастья, которая так волновала его скудное воображение еще меньше часа назад.

* * *

Капитан со своими мигалками, а за ним машина Реми проскочили путь до границы меньше чем за полчаса.

Добравшись до первого после границы итальянского городка Вентимилья, капитан притормозил на обочине. Реми тоже. Они все вышли из машин.

— Что такое, Гзавье?

— Чтоб их всех разорвало! — громыхнул капитан.

— Кого? — поинтересовался Реми.

— Да итальяшек этих чертовых!

Лоран побледнел. Ксюша тихо ахнула.

— Они... Они опоздали?.. — с трудом выговорил Лоран.

— Гзавье, да объясни же! — вскинулся Реми.

— Какое, мерд, «опоздали»! Это мы опоздали! Они уже всю операцию провернули! А я-то надеялся поприсутствовать... Страсть как люблю сцены взятия всякой мрази, даже если не с моим участием! Лишили меня удовольствия, сволочи! Моей законной порции адреналинчика!

— Куда тебе еще, — в сердцах ответил Реми, — и так на десятерых хватит, пора отдаивать и бедным раздавать! Объясни толком, что значит *операцию провернули*?!

— Да что ж тут непонятного? — удивился капитан. — Взяли нашего Лысого. Повязали.

— А Лиза?! — закричал Лоран. — Лиза, что с ней?!

— С ней? А ее везут в больницу.

Реми показалось, что еще мгновение, и Лоран кинется на капитана с кулаками. Он положил руку на плечо доктора на всякий случай, а Ксюша бросила на Лорана сочувственный взгляд.

— В каком Лиза состоянии? — спросила она.

Капитан посмотрел на них троих, переводя взгляд с одного лица на другое, и вдруг смутился.

— Сейчас уточню...

И он виновато потрюхал в свою машину, к рации.

— «Другие — это ад», — проговорил Лоран. — Сартр прав.

— Не прав, — покачал головой Реми. — Отражаясь в глазах *других*, мы видим себя. Это делает нас цивилизованными. Смотри, даже наш капитан решил вдруг сделаться «ангелом», а все потому, что несколько дней кряду отражался в наших глазах...

— Жива! — выбрался Гзавье из машины. — Состояние неважнецкое, но принципиальной угрозы здоровью нет! Я узнал, в какую больницу ее увезли, держите адрес...

Реми с Ксюшей вернулись к себе в гостиницу далеко за полночь. Лоран остался в Италии, в больнице, оплатив дополнительную койку в палате Лизы для себя.

Юрий Чеботарев позвонил, когда они еще были в дороге из Италии во Францию.

— Ваша жена задержана жандармерией, — ответила Ксения, — а Лиза в больнице, в Италии. Состояние у нее неважное, но угрозы для жизни нет.

Чеботарев пытался разузнать подробности произошедшего, но Ксюша, сославшись на поздний час и усталость, предложила перенести все разговоры на завтра.

— Он предлагает приехать к нему в полдень, — отведя трубку, сказала она мужу. — Что ответить?

— Если ему надо, пусть сам приезжает к нам. А полдень нас устраивает, думаю. Успеем выспаться?

— Успеем, — ответила Ксения. — Запишите адрес нашей гостиницы, — проговорила она в телефон. — Ждем вас в полдень...

Чеботарев спорить не стал.

— Не хочется мне его видеть, — признался Реми, когда Ксюша отключилась.

— Ремиша, он ведь переживает... Надо ему рассказать, что к чему, что с его дочерью случилось!

— Двадцать пять лет не переживал, а тут вдруг развезло? Не верю я в это, Ксю. Лиза ему нужна для устрашения своей семейки, то есть подход чисто утилитарный. По большому счету, ничем не лучше, чем у его жены.

— Мне кажется, что неправильно судить о человеке, не узнав его. Вот поговорим с ним завтра, тогда и разберемся.

— Говорить все равно будешь ты, он по-французски ни бум-бум.

— А ты разве на встречу не пойдешь?

— Пойду... Ради тебя. Если что подсказать нужно будет.

Среда

На следующий день Чеботарев приехал к ним в отель точно в полдень. Позвонил снизу и предложил сходить на ланч в какой-нибудь ресторан, но Реми отказался. «Скажи ему, Ксю, что мы поздно встали и только что позавтракали. Пусть поднимается к нам в номер».

Через пять минут Чеботарев постучался к ним в дверь.

Ксюша устроилась на кровати, усевшись по-турецки, а мужчины заняли два стула, имевшихся в комнате.

Некоторое время висела тишина. Реми с Ксюшей поразило его сходство с Лизой, и они вглядывались в человека, который назывался олигархом, словно пытаясь понять, как эти двое, отец и дочь, могут иметь столь близкую внешность при столь огромной душевной разнице.

— Ксю, я буду говорить, а ты переводи, — неожиданно предложил Реми.

Ксения удивилась, но спорить не стала.

— Итак, — начал Реми, — вы хотели узнать, что приключилось с вашей дочерью...Что ж, слушайте.

Прошло часа два, если не больше. Чеботарев задавал вопросы, Реми отвечал, Ксюша переводила. Выражения лица отца Лизы практически не менялось: оно было непроницаемым, и эмоции, если они вообще имелись, на нем не отражались.

Под конец Юрий Чеботарев, помолчав, спросил:

— А этот доктор, Лоран Бомон, что он за человек?

— Вас это с какой стороны интересует? — язвительно поинтересовался Реми. — С материальной?

— Признайтесь, я очень похож на дебила? — ошарашил его Чеботарев. — Или вы считаете, что если у меня денег много, то мне должно быть невдомек, что счастье не в них?

Реми не ответил, и Юрий продолжил:

— Я прошел долгий путь и полагаю, что знаю о жизни больше вашего, молодые люди. И в чем счастье, и почем счастье. Но, в отличие от вас, таких хороших и правильных, я каждую истину синяками и шишками добывал, кровью за нее платил... Впрочем, не вижу, с какой стати я должен перед вами оправдываться, — сухо закончил Чеботарев и поднялся. — Благодарю вас за то, что уделили мне время. Ваш друг Алексей Кисанов, которому я хотел заплатить за поиски Лизы, сказал, что деньги за работу причитаются вам. Вот чек. Последняя просьба: дайте мне адрес больницы, где находится Лиза. И больше я не буду вас беспокоить, обещаю.

Реми не ответил. Ксюша видела, что ее муж пребывает в некоторой растерянности. Чеботарев не укладывался в ту схему, которую он начертил для себя, но нового определения Реми пока не нашел, это было очевидно.

— Запишите, — произнесла Ксюша и продиктовала адрес.

— Благодарю вас, — кивнул Юрий Чеботарев, складывая листок и убирая его во внутренний карман пиджака: он явился при параде, в костюме, несмотря на жару и курортную расслабуху здешних мест.

— Лоран там, с Лизой, — добавила Ксюша. — Мне кажется, что вам не стоит к ним сейчас ехать. Лучше подождите, пока Лиза совсем оправится, пока они вернутся в Ниццу. Она много душевных травм... и физических... перенесла за последние дни. Встреча с вами будет для нее тоже... Вы ведь должны понимать, что это психологический шок, да? Потерпите еще день-два, они вернутся завтра или послезавтра...

Чеботарев легонько улыбнулся в ответ на эту тираду и вышел.

— Надеюсь, что он послушает моего совета... — произнесла Ксюша, когда гость ушел. — Бедная Лиза, сколько испытаний выпало на ее долю за такой короткий срок! Не хватало только, чтобы на ее голову сейчас еще свалился отец!

— Неоднозначный тип ее папаша... Сложнее, чем я думал.

— Вот видишь! — не удержалась Ксюша от ремарки. — Я тебе говорила: неправильно судить о человеке, не узнав его!

— Говорила, мон кёр... — Реми пересел на кровать. — И была права. — Он поцеловал руку Ксюши, потом в сгиб локтя, потом в плечо... — Ты у меня всегда права. Почти.

— Что значит «почти»? — шутливо возмутилась Ксюша.

— Ну оставь немножко на мою долю, иначе

будет скучно! Представляешь, какая каторга жить с человеком, который всегда прав? — засмеялся он, подбираясь поцелуями к ее шее.

Через минуту они забыли о Чеботареве. И о капитане забыли, и о Лизе с Лораном. Вселенная вдруг сузилась до них двоих — до двух жарких, страстных и любящих душ...

И тел, само собой.

Четверг

На следующий день, около четырех часов, когда Ксюша с Реми загорали на пляже, им позвонил Лоран:

— Вы где?

— На пляже, — ответил Реми. — А вы где?

— В отеле! А вас тут нет!

— С Лизой?

— Разумеется! — весело ответил Лоран.

— Как она?

— Нормально! Очистили организм под капельницей, накачали ее кислородом и отпустили!

— Ну вы даете, ребята... — радостно помотал головой Реми. — Так дуйте к нам на пляж!

— Мы жутко голодные. Хотим пойти пообедать. Составите нам компанию?

Реми коротко переговорил с Ксюшей.

— Давайте в Ницце, на набережной! — попросила Ксюша. — Я уже давно мечтаю посидеть в хорошем рыбном ресторанчике!

Через полчаса они встретились в ресторане. Ксюша схватила Лизу в объятия.

— Господи, как я рада, что все кончилось! Сколько же тебе испытаний выпало, бедная ты моя...

— Да ладно, — со смехом отстранилась Лиза. — Я живучая!

Они весело уселись за стол и принялись изучать карты блюд.

В отношениях Лизы и Лорана появилось что-то новое — зорким глазом приметила Ксения. Эти беглые нежные взгляды, эти короткие касания рук... Два отдельных человека за прошедшие сутки стали *парой*.

— А Чеботарев где? — неожиданно поинтересовался Реми.

— *Чеботарев?* — с недоумением переспросила Лиза.

Только сейчас до всех вдруг дошло, что Лизу никто не успел посвятить во всю эту историю с ее отцом! В самом деле, ведь когда Реми узнал об этом от Киса, Лиза была уже похищена! В больнице Лоран тоже ничего не сказал ей — не специально, просто мысли его были далеки от всего того, что не связано со здоровьем девушки...

— Ой, — Ксюша едва не поперхнулась. — Ой... А мы ведь... А Лиза ведь ничего не знает!!!

Мужчины переглянулись.

— Э-э-э... — завел Реми. — Чеботарев... Тут вот какое дело, Лиза...

— Давайте я, — вызвался Лоран.

— Нет, я! — категорически заявила Ксюша. — Вы ничего не смыслите в женской психологии. Начнете тут разводить церемонии, словно имеете дело с умственно отсталыми!

— Люди, вы о чем? — вскинула брови Лиза.

Точно, как ее отец, отметила Ксюша.

— Лиз, ты знаешь, что у Реми есть друг в Москве, тоже частный детектив? — произнесла Ксюша.

— Слышала что-то из ваших разговоров...

— Так вот, он нам помогал. Он искал, кто и почему затеял все это с тобой. И он узнал... Лиз, он узнал, что твой отец принялся тебя разыскивать!

— Мой отец? Это кто такой?

— Чеботарев. Ты носишь его фамилию.

— Вот как? Этого я не знала... Мама говорила, что фамилию мне выдумала, чтобы не ставить прочерк... Потому что некий подонок бросил ее, узнав, что она беременна...

— Так оно и было, это правда, бросил. Но вот недавно решил тебя найти.

— С какой стати? — нахмурилась Лиза.

— Слушай, история долгая...

И Ксюша пустилась в повествование.

Лиза слушала ее с непроницаемым лицом, столь непроницаемым, что Ксюша с Реми в какой-то момент переглянулись: так похожа она была на своего отца, который только вчера слушал их с тем же выражением!

— Погодите минуточку... — перебил Реми жену, которая уже подбиралась к финалу истории. — Так ведь он собирался ехать к вам в больницу! Вы его там не видели?

— Нет, — сдержанно ответила Лиза. — То ли не приехал, то ли мы с ним разминулись. Ксюш, так выходит, что все закрутилось, и меня едва не убили из-за фразы моего... Юрия Чеботарева о том, что он разыщет своего внебрачного ребенка?!

— Получается, что да... Но он не предвидел

последствия своих слов. Он не верил, что его жена способна на...

Звонок прервал рассказ Ксении. Это был, легок на помине, Юрий Чеботарев.

Ксюше пришлось ответить, что Лиза уже в Ницце. И что они вчетвером находятся в ресторане на набережной.

— Вы не возражаете, если я к вам присоединюсь?

— Теперь это надо спрашивать у Лизы, я думаю. Я передам ей трубку...

— Ксения, погодите, послушайте меня! Я знаю, о чем вы думаете: а где я был все эти двадцать пять лет, верно? Я мог бы вам рассказать, каким я был в молодости, как с категоричной самоуверенностью отбросил саму возможность, что у меня есть от Галины ребенок... Но это долго. Поймите только одно: я не *бросил* Лизу — я просто не *поверил* в ее существование, чувствуете разницу?

— Чувствую.

— Спасибо. Оправдываться я не люблю, и мне трудно все это объяснять... Я был завидным женихом, многие девушки пытались женить меня на себе разными способами... Многие говорили неправду — одни о любви, другие о ребенке...

— А Катрин вам говорила правду, надо думать? Чеботарев усмехнулся.

— В определенном смысле да. Она не уверяла меня ни в любви, ни в беременности. Она прямо сказала, что ее устроил бы брак со мной...

«За что боролись, на то и напоролись!» — собралась было съязвить Ксюша, но удержалась.

— Вас он тоже *устроил?* — только поинтересовалась она.

— Да. Тогда я считал, что это правильный подход к женитьбе...

Ксюше хотелось спросить: «А теперь?» Но она чувствовала, что лимит вопросов, на которые станет отвечать ее собеседник, она уже исчерпала.

— Поняла, — ответила она сдержанно.

— Тогда, если вы меня действительно поняли, то помогите мне, прошу вас!

— Чем?

— Объясните это Лизе, пожалуйста! Что я ее не бросил, — я просто не поверил... И еще одна просьба: мне кажется, для нашей первой встречи с ней очень кстати, что вы там все вместе. Наедине было бы намного сложнее... Прошу вас, убедите ее и всех принять меня в вашу компанию. Прямо сейчас!

— Ждите.

Ксения положила телефон на стол. Все взгляды были устремлены на нее.

— Юрий Чеботарев просит разрешения присоединиться к нашему столу.

Реми с Лораном переглянулись, тогда как Лиза, словно загипнотизированная, смотрела на телефон.

— Это Лизе решать, — произнес Лоран.

Реми согласно кивнул.

— Я не знаю... Я не уверена, что мне нужен человек, который бросил мою мать и меня и не интересовался нами столько лет...

— Он просил тебе сказать, Лиз, — произнесла Ксения, — сказать, что он не бросил... Он просто не поверил. Его в ту пору многие женщины пытались на себе женить, всеми правдами и неправдами...

— Признаться, я его понимаю, — произнес Реми.

— Я тоже, — усмехнулся Лоран.

Лиза с Ксюшей не ответили на эти мужские реплики, лишь переглянулись с тонкой улыбкой.

— Ксюш, ты насчет Катрин что-то у него спрашивала...

— Да. Твой отец сказал: это был брак по расчету с обеих сторон. Он счел, что это честнее и правильнее... Надеюсь, теперь он изменил свое мнение, — хмыкнула она саркастически.

— Он нас слышит? Ты не отключила телефон?

— Слышит.

Лиза протянула руку.

— Дай мне, Ксюш.

Получив аппарат в руки, Лиза некоторое время молча вслушивалась в него, словно хотела уловить дыхание своего отца на том конце.

За столом висела абсолютная тишина. Все смотрели на Лизу.

— Алле, — произнесла она негромко. — Это я, Лиза. Здравствуй... па... папа.

Отключившись, она положила телефон на стол и посмотрела на своих друзей растерянно-счастливым взглядом.

— Ты молодец, — восхитилась Ксюша.

— Почему? — не поняла Лиза.

— Не каждая бы на твоем месте сумела так... так...

— Назвать его «папой?

— И это тоже, — кивнула Ксюша. — И вообще, отбросить всякие негативные мысли...

Лиза немного помолчала.

— Я их не отбросила... Не совсем, — произнесла она наконец. — Мне просто очень не хватало отца... Очень. И я рада, что он появился... Теперь ломаться, изображать оскорбленную гордость, заставлять его унижаться... Это было бы похоже на плохую мелодраму, не так ли?

Когда через двадцать с небольшим минут Юрий Чеботарев появился на пороге ресторана, оглядываясь, — затем, увидев Ксению с Реми (Лиза и Лоран сидели спиной ко входу), кивнул им и направился к их столу, — Лиза медленно поднялась, оборачиваясь. Она сильно побледнела. Нашла руку Лорана и крепко сжала ее.

Они так и держались за руки, пока Чеботарев шел к ним.

Дойдя, он остановился, вперившись взглядом в лицо дочери.

Минуты текли, а они все стояли, глядя друг на друга, такие похожие и такие разные...

— Мне много нужно тебе рассказать, Лиза... — севшим голосом проговорил наконец Чеботарев.

— Мне друзья уже немало рассказали... Но осталось, конечно, больше, — улыбнулась Лиза. — Вся жизнь, которую ты жил без меня. И вся жизнь, которую я жила без тебя.

Юрий шагнул ей навстречу, раскрывая объятия.

Лиза отпустила руку Лорана, сделала два шага навстречу отцу, и они застыли, обнявшись. Лица Лизы никто не мог видеть — она стояла к друзьям спиной, а Чеботарев терся подбородком об пышные русые волосы дочери, глядя поверх голов в окно, пытаясь удержать слезы.

Ксюша, Реми и Лоран отвели смущенные взгляды от скульптурной группы под названием «Отец и дочь. Двадцать пять лет спустя». У всех возникло ощущение, что они подсматривают за чем-то очень интимным, предназначенным только для двоих, где любые посторонние были лишними.

— Мы вас оставим на некоторое время, — поднялся Лоран.

За ним встали и Ксюша с Реми.

Проходя мимо «скульптурной группы», Лоран мимолетно погладил Лизу по плечу, словно хотел сказать: я здесь, если что!

— Не уходите, — вдруг оторвалась она от плеча своего отца. — Не уходите! Мы ведь еще не закончили наш обед... или ужин? — улыбнулась она. — Садитесь на места. Ты тоже садись... папа. Возьми стул вон там, — указала она на соседний пустующий столик. — Закажи себе что-нибудь, присоединяйся к нам. И давайте выберем хорошее вино, надо ведь отметить встречу, верно?

Чеботарев послушно кивал, как ребенок. Взял стул, раскрыл карту, выбрал себе какое-то блюдо и заказал вино — самое лучшее, что водилось в этом ресторане.

И Ксюша подумала: хороший или плохой, правильный или неправильный (а скорее всего, все вместе: и хороший, и плохой, и правильный, и нет... Как все мы, собственно!) — он нужен Лизе. *Отец.*

ЭПИЛОГ

Три недели спустя они прощались в аэропорту Ниццы: Юрий, Лиза и Сашенька Чеботаревы улетали в Москву.

Предварительное задержание Екатерины Свиридовой обернулось арестом: теперь ей предстоял суд. Больше никто не сомневался, что все закрутила и прокрутила жена Чеботарева, даже если она упрямо отрицала факты.

Лысый дал четкие показания, это было в его интересах: он действовал по заказу мадам. Чета Шарбонье окончательно раскололась под напором неопровержимых доказательств: все их прегрешения были совершены по наводке и подсказке Катрин Свиридовой! Она с самого начала планировала избавиться от внебрачной дочери мужа, но сначала решила сбагрить ее ребенка Анн и Винсенту Шарбонье, которыми тонко и ловко манипулировала.

Юрий через своих адвокатов уже подал на развод. Его дети все еще пребывали в Доминиканской Республике на отдыхе, и их судьбу предстояло решить... Но теперь, когда с ним была Лиза, он не сомневался, что все решится. Так или иначе, но правильно.

Заявление Лизы и Лорана на бракосочетание мэрия Монвердона поначалу отвергла: у девуш-

314 ки не было документов, и виза ее (о чем говорили компьютерные данные) уже давно просрочена. Но тут помог Гзавье, капитан накатал документ, из которого следовало, что пребывание мадемуазель Чеботарефф на французской территории вполне легитимно. Его же стараниями Лиза довольно быстро получила из русского консульства бумажку, служившую временной заменой паспорту.

Свадьба была назначена на сентябрь, и приглашены были не только Реми с Ксюшей, но и капитан, и даже пляжный директор Брюно. И, само собой, мать Лизы, Галина Мироновна. И Кис с Александрой. И Сашенька, разумеется, которого Лоран намеревался усыновить.

Что же до Юрия Чеботарева, то он, ясное дело, ощущал себя едва ли не главной фигурой в предстоящих торжествах. Даже в аэропорту он не переставал обсуждать подробности.

— Папа, — пресекла Лиза поток его вдохновенных идей, — зачем мне платье от «лучшего кутюрье»? Ты находишь, что я недостаточно красива и есть нужда украшать меня каким-то платьем, стоящим баснословные деньги?

— Нет, что ты, Лиза, ты о-о-очень красивая! Но все-таки платье от кутюрье...

— Я очень хочу красивое платье и красивую свадьбу — но это стыдно, папа, тратить на них безумные бабки, когда столько людей живут в нищете, и эти деньги могли бы...

Так они и ушли, препираясь, за черту границы.

Там, за чертой, Лиза обернулась, помахала Ксюше с Реми, а Лорану послала воздушный поцелуй.

— Эй, доктор, ты чего такой смурной? — произнес Реми. — Лиза скоро вернется, и мы будем праздновать вашу свадьбу! Всего-то осталось два месяца!

— *Два месяца...* Это очень много, — ответил Лоран. — А вдруг она попадет под влияние отца?

— Не смеши, — произнесла Ксюша. — Скорей уж отец попадет под влияние Лизы...

Литературно-художественное издание

ДЕТЕКТИВ ВЫСШЕГО КАЧЕСТВА

Гармаш-Роффе Татьяна Владимировна

ЗОЛОТЫЕ НИТИ СУДЬБЫ

Ответственный редактор *О. Рубис*
Редактор *Т. Другова*
Художественный редактор *С. Груздев*
Технический редактор *О. Куликова*
Компьютерная верстка *А. Пучкова*
Корректор *Е. Дмитриева*

ООО «Издательство «Эксмо»
127299, Москва, ул. Клары Цеткин, д. 18/5. Тел. 411-68-86, 956-39-21.
Home page: **www.eksmo.ru** E-mail: **info@eksmo.ru**

Подписано в печать 29.04.2011.
Формат 84х108 $^1/_{32}$. Гарнитура «Таймс». Печать офсетная.
Бум. офс. Усл. печ. л. 16,8.
Тираж 20000 экз. Заказ № 4737

Отпечатано с электронных носителей издательства.
ОАО «Тверской полиграфический комбинат». 170024, г. Тверь, пр-т Ленина, 5.
Телефон: (4822) 44-52-03, 44-50-34, Телефон/факс: (4822) 44-42-15.
Home page – www.tverpk.ru Электронная почта (E-mail) sales@tverpk.ru

ISBN 978-5-699-49459-0